생선으로 만들 수 있는 103가지
건강하고 맛있는 요리 레시피를 담은

# All that ★ FISH

글·요리·사진 **송윤형**

YoungJin.com **Y.**
영진닷컴

# All that ★ FISH

ISBN 978-89-314-4360-8

**독자님의 의견을 받습니다**

이 책을 구입한 독자님은 영진닷컴의 가장 중요한 비평가이자 조언가입니다. 저희 책의 장점과 문제점이 무엇인지, 어떤 책이 출판되기를 바라는지, 책을 더욱 알차게 꾸밀 수 있는 아이디어가 있으면 이메일, 또는 우편으로 연락주시기 바랍니다. 의견을 주실 때에는 책 제목 및 독자님의 성함과 연락처(전화번호나 이메일)를 꼭 남겨 주시기 바랍니다. 독자님의 의견에 대해 바로 답변을 드리고, 또 독자님의 의견을 다음 책에 충분히 반영하도록 늘 노력하겠습니다.

**이메일** : support @ youngjin.com
**주 소** : (우)153-803 서울특별시 금천구 가산동 664번지 대륭테크노타운 13차 10층
**대표전화** : 1588-0789
**대표팩스** : (02) 2105-2207

## STAFF

**저자** 송윤형 | **기획** 기획1팀 | **총괄** 김태경 | **진행** 정은진, 김연희
**표지 디자인** 임정원 | **본문 디자인** 강영수

# All that FISH

글 · 요리 · 사진 **송윤형**

**하던 일을 그만두고** 신랑의 전근으로 연고가 없는 곳으로 이사를 오게 되었습니다. 집에서 혼자 밥을 먹다보니 밥상은 점점 엉망이 되고 그나마도 고픈 배를 채우려고 대충 차려 먹기 일쑤였습니다.

요리책과 요리 관련 프로그램을 좋아해서 항상 멋진 요리에 감탄하고 군침을 흘렸는데 그것과는 대조되는 저의 밥상이… 아니, 밥상이라고 부르기도 민망한 대충 집어먹는 음식들이 너무 한심해 보였습니다.

**그것이 계기가 되었습니다.** 하루에 한 끼라도 멋지게 차려 먹자.

그렇게 하루에 한 번씩 저를 대접하자고 마음먹고 음식을 하기 시작했습니다. 그때 가장 자주 보던 프랑스요리 프로그램에 소개된 요리를 조금씩 만들어 보자고 결심했고 인터넷으로 정보를 찾고 영어로 된 요리책을 사서 레시피를 정리하고 요리를 만들었습니다.

**맛이 이상한 음식들,** 먹지 못하고 버린 음식들도 많았습니다. 간단한 음식인데도 만드는 데 오랜 시간이 걸려서 점심으로 먹으려고 만들기 시작한 요리가 저녁에 끝나기도 했습니다. 재료를 깜빡하고 빼 먹는 경우는 너무 많아 손에 꼽을 수도 없었습니다.

그렇게 망하고 실패하면 상심도 하고 의욕도 사라질법한데, 꼼지락거리면서 뭘 만드는 것이 그렇게 재미있었던 이유는 내 손으로 만들어서 성공한 음식을 맛있게 먹는 큰 즐거움을 발견했기 때문입니다. 하루하루 음식을 만들다 보니 가장 먼저 관심을 가진 프랑스요리 외의 다른 나라 요리에도 호기심이 생겨 여러 나라의 요리책도 구입하고, 전에는 만들 엄두도 내지 못하던 신기한 요리도 만들어 보게 되었습니다.

**처음 한 끼를 제대로 차려 먹어보자는** 결심을 했을 때 중도에 멈추지 않고 꾸준히 결심을 실천하려면 어딘가에 기록하는 것이 좋겠다는 생각을 하였고 그렇게 시작한 것이 블로그였습니다. 망하면 망한대로, 성공하면 성공한대로, 누가 보길 원해서도 아니고 그저 제 재미에 먹는 이야기를 적기 시작했습니다. 처음 블로그에 글을 쓰기 시작했을 때만해도 지금처럼 많은 분들이 찾아주실 거라고는, 또 이렇게 제 레시피를 책으로 내게 될 거라고는 상상도 하지 못했습니다. 그런데 이제 이렇게 책이 나오게 되니 참으로 신기하기만 합니다.

책에서 나는 종이 냄새, 잉크 냄새, 종잇장을 넘길 때 나는 소리, 오래된 책에서 느껴지는 시간의 흔적…

담겨 있는 내용을 떠나 그 자체만으로도 저에게 좋은 기분을 느끼게 해 주는 것이 책입니다. 그래서 이 책을 준비하는 기간 내내 스트레스도 받고, 고민도 하고, 몸은 피곤했지만 태어나서 가장 행복한 시간을 보낼 수 있었습니다.

간단한 음식부터 복잡한 것까지, 우리나라 요리부터 외국의 요리까지. 쉽고 재미있게 만드는 방법을 소개하기 위해 노력하였습니다. 많은 분들께 재미있는 레시피로 다가갈 수 있길 바라는 마음입니다.

책을 준비하면서 한 권의 책이 나오려면 많은 사람들의 노력과 시간이 필요하다는 것을 알게 되었습니다. 최고라고 감히 말씀드릴 순 없지만 열심히 최선을 다해 만들었다는 것을 알아 주세요. 책 준비를 위해 힘써주신 많은 분들께 감사드립니다. 특히 자신의 일처럼 기뻐해 준 가족들, 그리고 매주 장 보러 다니면서 외조에 힘써준 신랑에게 고맙습니다.

나와 사랑하는 사람을 위해 음식을 만드는 기쁨을 같이 느끼실 수 있기를 진심으로 바랍니다.

저자_ 송윤형

# Contents

Intro **Cooking, step by step.**

Part. 1 **생선의 모든 것**

Guide

일러두기, 이 책을 읽는 법.

Part. 2 **밥반찬과 찌개**

Part. 3  도시락과 일품요리

Part. 4 브런치와 디저트

Part. 5 손님 초대 요리(한식)

# Part. 6 손님 초대 요리(외국식)

# 1. 전혀 번거롭지 않아!! 계량컵 계량

요리책의 레시피를 꺼려하는 이유 중 하나가 바로 '큰술, 작은술, 컵, 그램' 등 공식 같은 알쏭달쏭한 계량 때문일 것이다. 계량기구를 구비하기도 번거롭다고 생각하는 사람들이 많아 밥숟가락, 종이컵 같은 주변에서 쉽게 구할 수 있는 것들로 계량한 요리책들이 유행하기도 했다. 정확한 사용방법만 알게 되면 계량 도구 사용법 그렇게 어렵지도 번거롭지도 않다는 걸 깨달을 것이다.

## ● 계량컵과 계량스푼

용량이 정확하지 않은 밥 숟가락이나 종이컵 대신 계량컵과 계량스푼을 사용하면 만들 때마다 맛이 달라지지 않는 장점이 있다. 우리나라 요리책에선 1컵을 대부분 200ml로 정의한다. 외국에선 일반적으로 240~250ml를 한 컵 용량으로 정의하는데, 시판하는 계량컵의 경우 용량이 서양식과 한국식 뿐 아니라 1컵을 200ml 미만으로 정한 것이 많기 때문에, 정확한 용량의 계량컵과 계량스푼을 구입해서 사용하는 것이 필요하다.

이 책에서는 1컵=240~250ml로 정의하고 ml와 g으로 같이 표기하였다.

| 계량컵 용량 | 계량스푼 용량 |
|---|---|
| 1컵 = 250ml (240ml) | 1 큰술 = 15ml |
| 1/2컵 = 125ml (120ml) | 1 작은 술 = 5ml |
| 1/3컵 = 80ml | 1/2 작은 술 = 2.5ml |
| 1/4컵 = 60ml | 1/4 작은 술 = 1.2ml |

※ 주의사항

1. 계량컵의 용량과 무게는 동일하지 않다. 다시 말하면 '250ml≠250g'는 것이다. 그러므로 용량을 보고 임의로 무게로 환산하지 않는다.
2. 계량하는 재료는 각각 질량이 다르기 때문에 같은 양이라도 액체 250ml와 가루 250ml의 무게는 동일하지 않다. 한가지 재료의 환산된 용량을 다른 재료에 적용하지 않는다.

(계량컵과 계량 스푼을 구입할 땐 컵마다 용량이 표시되어 있는 것으로 구입한다. 다이소 등 저가 매장에서 용량의 계량용품을 저렴하게 구입할 수 있다.)

## ● 계량 방법

### 1 | 액체류 계량

- 계량컵을 평평한 곳에 놓고 가장자리까지 액체를 부어 계량한다.
- 계량스푼을 수평으로 들고 액체를 가장자리까지 부어 계량한다.

## 2 | 가루류 계량

계량컵이나 계량스푼에 빈 곳이 없도록 가루류를 가득 담은 후 윗부분을 칼등으로 평평하게 깎아서 계량한다.

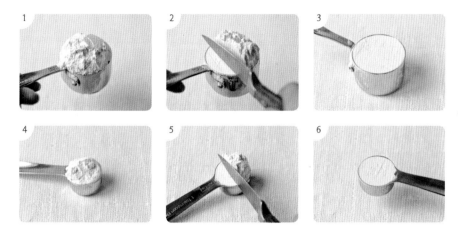

# 2. 주방용품 이야기

유명인들의 잘 꾸며진 주방을 보면 우리 집에도 저렇게 예쁜 주방이 있었으면 싶고, 요리 프로그램에서 소개하는 조리 도구들을 보면 저것만 있으면 나도 요리 잘할 것 같은데 싶은 생각이 든다. 나를 요리 마스터로 만들어 줄, 저자가 사용한 'wannabe' 조리 도구들을 소개한다. 단, 이 도구들은 요리를 좀 더 쉽게 도와주는 도구일 뿐이지, 이들을 다 구입해야 요리를 잘하는 것은 아니다. 결국 요리는 사람이 하는 것이니까.

## ● 유용한 주방용품

### 푸드 프로세서(Food Processor)

: 푸드 프로세서는 주스를 만드는 일반 블렌더와 다르게 칼날이 일자로 되어 있어서 여러가지 조리를 편리하게 할 수 있다. 고기 또는 다른 음식들을 곱게 갈거나 잘게 다질 수도 있어서 좋아하는 부위의 고기를 섞어서 곱게 갈아 음식을 만들거나 마늘이나 고추 등을 이용해 홈메이드 양념을 만들기도 좋다. 간단한 밀가루 반죽도 가능하기 때문에 파이지를 만든다거나 수제비, 만두피를 만들 때도 사용할 수 있고 생크림을 넣고 홈메이드 버터 만들기도 가능하다.

채칼 디스크나 슬라이스 디스크를 이용해 재료를 손쉽게 손질할 수 있고 달걀 거품을 낼 수 있는 디스크가 있는 것들도 있다.

용량이 너무 큰 것은 자주 사용하기 번거롭고, 1.5~2L 정도의 크기면 일반 가정에서 다방면으로 유용하게 활용할 수 있다.

### 핸드 블렌더(Hand Blender)

: 거품기와 미니 푸드 프로세서가 달려 있는 핸드 블렌더는 부엌에서 유용하게 사용할 수 있다. 수프를 만들 때 냄비에 바로 넣고 바로 사용할 수도 있고, 삶은 음식을 곱게 갈 때 사용해도 유용하다. 과일을 갈아서 주스를 만들기에도 좋다.
거품기를 사용하면 달걀흰자나 생크림을 거품 낼 때, 홈메이드 마요네즈를 만들 때 간편하게 만들 수 있다. 미니 푸드 프로세서로는 적은 양의 재료를 다지기에 무척 좋다. 이미 다져서 판매하는 마늘보다 좋은 마늘을 사서 집에서 다져 사용할 수 있어서 유용하다.

### 에그 비터(Egg Beater)

: 달걀 노른자나 흰자를 거품 낼 때 사용한다. 손잡이를 돌리면 거품 내는 부분이 회전해서 쉽게 거품 내는 것이 가능하다. 생크림을 거품 낼 때도 좋다. 우리나라에선 구하기가 힘들어 외국에서 구입한 것이다.

### 나무 거품기

: 굉장히 성글게 나무로 만들어진 거품기인데, 거품을 낼 때 사용하기보다는 묽은 반죽을 고루 저어 섞을 때 사용하면 좋다. 반죽을 섞을 때 거품이 생기지 않으면서 가루류가 덩어리 지지 않도록 섞을 수 있다. 하지만 반죽이 되거나 단단할 경우 힘이 없어서 잘 섞이지 않기 때문에 크레페나 팬케이크 등의 묽은 반죽을 만들 때 사용하기 좋다.

### 밀가루체

: 깡통같이 생긴 몸체에 달린 손잡이를 돌려 가루류를 체칠 수 있다. 케이크나 와플 등을 만들 때 유용하다. 사진의 밀가루체는 우리나라에서 구하기 힘든 특이한 모양으로 해외에서 구입하였다.

### 가쓰오부시 덩어리와 전용대패

: 가쓰오부시는 가다랑어를 건조, 발효시키고 곰팡이를 첨가해서 만든다. 대부분 얇게 밀어서 판매하지만 원래 모양은 저런 나무토막같이 생긴 것이다. 가쓰오부시 덩어리는 굉장히 딱딱하기 때문에 전용 대패에 밀어서 사용한다. 얇게 밀어서 포장해 판매하는 것보다 이렇게 쓸 때마다 밀어 쓰면 풍미가 훨씬 좋다. 얇게 밀어서 여러 요리에 토핑으로 사용해도 좋고, 국물을 내서 요리에 사용해도 좋다. 우리나라에선 팔지 않기 때문에 일본에서 구입한 것이다.

### 나무 도시락

: 나무도시락은 모양도 예쁘고 환경호르몬 걱정 없이 사용할 수 있어 좋다. 습기에 약하기 때문에 물기가 많은 반찬 같은 경우 상추잎을 깔아주거나 유산지나 은박용기를 깔아서 사용하면 좋다.

### 페퍼 & 솔트 밀(Pepper & Salt mill)

: 통후추나 덩어리 소금을 갈아서 사용할 수 있다. 통후추를 넉넉히 구입해서 바로바로 갈아 사용하면 좋다. 암염같이 결정형태로 판매하는 소금을 사용할 때 사용하면 좋다.

### 스텐 바트(Vat)

: 밧드라고 흔히 부르는 사각형의 납작한 스테인리스 바트는 요리를 준비할 때 유용하게 사용할 수 있다. 3개 정도 준비해 놓으면 밀가루물, 달걀물, 빵가루 순으로 조리해야 할 경우에 유용하게 쓸 수 있고, 재료를 담아 조리 준비를 할 때도 유용하게 사용할 수 있다.

● Frying Pan

일반 가정에서 요리할 때 가장 많이 사용하는 도구가 팬일 것이다. 간단한 볶음류는 물론이고 작은 재료라면 튀김까지 가능해 전천후 활용을 자랑하는 팬에도 여러 종류가 있다.

### ❶ 세라믹 팬

: 세라믹 코팅을 한 프라이팬은 테플론 코팅 팬보다 코팅이 오래가고, 훨씬 덜 눌어붙어 팬을 깨끗이 사용할 수 있어 좋다. 색도 예뻐서 보기도 좋다.

### ❷ 스테인리스 팬

: 코팅이 벗겨지면서 나오는 화학물질에 대한 걱정 없이 오래 쓸 수 있는 스테인리스 팬. 예열만 잘하면 눌어붙지 않는다. 손잡이까지 스테인리스로 돼 있으면 바로 오븐에 넣을 수 있어 좋다.

### ❸ 코팅팬

: 일반 가정에서는 대부분 테플론 코팅이 되어 있는 팬을 사용하는데, 코팅이 벗겨지기 시작하면 신체에 유해한 물질이 나올 수 있으니 오래 쓰기보다는 자주 바꿔주며 사용하는 게 좋다.

● 치즈 그레이터(Cheese Grater)

그레이터(Grater)는 우리말로 하면 강판으로 야채나 과일 등의 식재료를 문질러, 껍질을 벗기거나 작은 입자로 갈 목적으로 만들어진 주방기구이다. 자메이카에서는 코코넛 강판을 코미나, 존카누, 멘토 등의 전통 음악을 연주하는 악기로 사용하기도 했다고 한다. 강판도 강판의 크기나 모양에 따라 다양한 쓰임새를 갖는다. 여기서는 치즈를 가는 데 사용하는 여러 그레이터에 대해 알아본다.

### ❶ 제스터(zester)

: 레몬 껍질의 노란 부분을 갈아내거나, 치즈를 곱게 갈 때 사용하면 좋다.

### ❷ 그레이터

: 구멍의 크기가 큰 것부터 작은 것까지 다양한데, 치즈뿐 아니라 야채 등을 가늘게 갈 때 사용할 수 있다.

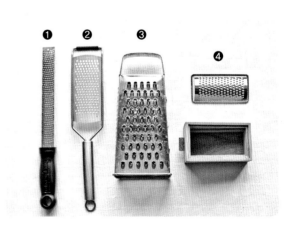

### ❸ 사각 강판

: 사방에 크기가 각각 다른 구멍이 있는 강판으로 하나만 있으면 치즈나 식재료를 원하는 굵기로 갈아낼 수 있어 편리하다.

**❹ 서랍식 그레이터**

: 갈아낸 치즈 가루가 서랍에 담기는 식으로 되어 있어 따로 용기가 필요치 않아 편리하다.

● 나무 주걱

보통 주걱은 밥을 푸거나 볶음류를 뒤섞을 때 주로 사용한다. 하지만 그 외에도 조리 방법에 따른 다양한 모양과 기능을 가진 주걱들이 있다.

❶, ❷, ❸

: 볶음주걱으로 팬에 재료를 볶을 시 뒤섞어 주는데 사용한다. 크기는 용도에 맞게 사용한다.

❹, ❺

: 구멍이 뚫린 주걱은 죽이나 스프 등의 국물 있는 음식을 저을 때 사용하는 주걱이다.

❻

: 파스타 주걱으로 인원에 맞는 양만큼 구멍에 넣어 파스타 양을 계량한다. 밑의 포크 부분은 파스타를 볶거나 삶을 때 엉키지 않도록 저어주는 용도로 쓴다.

❼

: 뜰채로 튀김이나 삶은 음식을 건져낼 때 좋다.

● 나무 도마

나무로 만든 도마는 칼질할 때 느낌이 좋고 소리가 많이 나지 않는다. 생선이나 고기 등을 손질할 땐 시트를 깔고 사용해야 위생에도 좋고 냄새가 배는 것도 방지할 수 있다. 나무조각 여러 개를 접착제로 붙여서 판매하는 것은 뒤틀리거나 갈라지고 심한 경우 분리될 때도 있으니 그런 제품은 피하는 것이 좋다.

최근에는 도마에서 작업 시 이동이 편리하도록 손잡이가 돌출된 도마를 선호한다. 모양이 예쁜 나무 도마는 바로 서빙할 때 사용할 수 있어 유용하다.

● 초밥용 나무 밥통

나무 밥통은 뚜껑이 있어 밥이 마르지 않아 김밥, 초밥 등의 밥을 양념하여 담아 두기 좋다. 또 재질이 나무라 갓 지은 뜨거운 밥을 담아도 환경호르몬 등 유해 물질에 대한 부담이 적다.

● 레몬 스퀴저(Lemon Squeezer)

스퀴저(Squeezer)란 쥐어짜는 기구를 이른다. 레몬이나 다른 감귤류, 자몽 등의 즙을 짜 낼 때 편리하다.

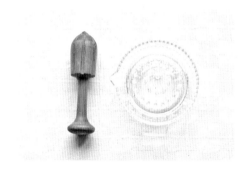

● 채칼과 에그 세퍼레이터(Egg Seperator)

채칼은 말 그대로 채를 쉽게 썰어 주는 도구이며, 에그 세퍼레이터는 달걀의 흰자와 노른자를 분리하는 도구이다. 주로 제과제빵이나 외국 요리에서 계란의 흰자와 노른자를 분리해 하는 하는 요리들이 많다. 굵기 조절이 가능한 슬라이스 기능과, 채치기가 가능한 채칼이 있으면 요리를 좀 더 빠르게 할 수 있어 좋다.

● 베이킹용 실리콘매트

반죽을 밀 공간이 없거나 청결하지 못할 때 실리콘 매트를 깔고 식탁이나 주방에서 작업하기 좋다. 반죽을 크기를 가늠할 수 있도록 치수가 적혀 있고 물로 씻어 말린 후 접어서 보관할 수 있다.

# 3. 식재료 이야기

앞서 요리에 사용된 요리도구 들을 살펴봤다면, 이번엔 식재료이다. 요리의 맛을 좌우하는 데 가장 큰 영향을 주는 여러 가지 기본 양념과 요리에 다양한 흥미를 더해 주는 식재료에 대해 알아본다.

## ● 주 사용 양념

가장 많이 사용한 주 사용 양념 식재료이다. 대개 요리책에서 집에 잘 구비하지 않는 어려운 양념 들을 사용해 요리 하나를 위해 양념과 재료를 새로 사야 하나 고민하는 분들이 많다. 이 책에서는 일반 가정에 거의 구비해 놓는 식재료들을 사용했다. 또한 생략 가능이라고 표시한 부분은 특수한 재료이나 맛에 큰 영향을 주지 않으므로 집에 없다면 생략해도 무방하다. 재료 구하기가 힘들어 요리하기 어렵다는 핑계는 이제 그만!

{ 레몬즙, 꿀, 다진 마늘, 고추장, 된장, 고춧가루, 간장, 매실액, 소금, 후추, 밀가루, 찹쌀가루 }

### 레몬즙

: 새콤한 맛을 내고 싶을 때 주로 사용하며, 식초의 쉰 냄새가 거슬리는 분들께는 상큼하고 가벼운 맛이 나는 레몬즙을 사용을 추천한다. 레몬즙이 없을 경우엔 조금 적은 양의 식초로 대체하면 된다.

### 꿀

: 이 요리책에선 설탕 대신 꿀을 사용한다. 모두 설탕으로 대체할 수 있다.

### 다진 마늘

: 마늘도 사용할 때 바로 다져서 사용하는 것이 맛과 향이 가장 좋지만, 여의치 않다면 적은 양을 칼로 곱게 다져서 병에 넣어두고 가능하면 빨리 먹도록 한다.

### 매실액

: 감칠맛과 풍미를 더하는 매실액은 직접 담근 것이 좋다. 풍미를 더하는 재료이므로 시판 매실액을 사용하거나 생략해도 맛에 큰 지장은 없다.

### 밀가루

: 밀가루는 중력분을 사용했다. 박력분 밀가루로 모두 대체해도 좋다.

### 찹쌀가루

: 찹쌀가루도 모두 밀가루로 대체해서 사용해도 좋다.

**식용유**

: 재료에 식용유라고 써 있는 부분은 모두 포도씨유를 사용했다. 포도씨유는 재료 특유의 맛이 없기 때문에 각종 요리에 사용이 용이하고, 발연점이 높아 높은 온도로 조리해야 하는 음식이나 튀김 요리에 적당하다.

**엑스트라버진 올리브 오일**

: 참기름이나 들기름처럼 올리브를 압착하여 뽑아낸 기름이다. 순도가 높아 쉽게 타고, 특유의 향과 맛이 있어 일반 식용유로 쓰기보다는 샐러드에 이용하거나 참기름이나 들기름 같이 요리의 마지막에 음식 위에 흩뿌려주는 용도로 사용하는 것이 풍미를 가장 잘 살릴 수 있는 방법이다. 정제기름과 처음 짜낸 버진 올리브유를 혼합하여 만든 '퓨어 올리브오일'이나 '엑스트라 라이트 올리브오일'의 경우 일반 식용유와 같이 사용하여도 상관없다.

● **그외 식재료**

필수 재료는 아니나 함께 하면 더 맛 좋은 식재료들을 알아본다. 똑같은 요리 레시피로 남들과는 다른 나만의 차별된 맛을 내고 싶다면 참고하자.

**통후추**

: 후추는 빻아서 가루로 파는 것보다 통후추를 구입해 바로 갈아서 사용하는 것이 향도 좋고 맛도 독하지 않다. 요즘엔 후추를 갈아주는 밀(mill)이 용기에 달려 있어 바로 갈아 쓸 수 있도록 판매하는 제품이 있으니 그런 제품을 사용해도 좋다.

밀이 달린 시판 통후추

**넛멕**

: 육두구라고도 불리는 넛멕은 살구 같은 핵과인데, 과육 대신 씨앗을 향신료로 사용한다. 특유의 풍미가 있어 소량으로도 음식의 맛을 한층 업그레이드 시켜준다. 독소가 있어 너무 많이 먹지 않는 것이 좋다. 넛멕도 후추와 마찬가지로 가루로 팔기도 하고 통으로 팔기도 하는데, 전용 그레이터와 함께 통으로 판매하는 것이 훨씬 향이 좋고 맛은 더 부드럽다.

통 넛멕 및 가루 넛멕

전용 그레이터가 달린 시판 넛멕

**말린 허브**

: 바질, 타임 정도만 구비해 놓아도 많은 요리에 두루 사용하기 좋다.

### 파슬리

: 요리에 사용한 파슬리는 잎이 넓적한 이탈리안 파슬리이다. 향나물이라는 이름으로 마트에서 판매하기도 하지만, 구입이 여의치 않다면 곱슬곱슬한 파슬리를 사용해도 상관없다.

### 카이엔 페퍼 가루

: 매운맛이 강한 고운 고춧가루로, 구하기 쉽지 않다면 곱게 갈아서 판매하는 매운 고춧가루로 대체하면 좋다.

### 샬롯

: 여린 보라색 빛이 나는 작은 양파 모양의 채소로, 양파보다 맛이 좀 더 섬세하다. 작은 양파 1/4크기로 없을 경우 양파로 대체해도 된다. 재료에 나온 샬롯 1개는 양파 1/4개로 대체하면 된다.

### 케이퍼

: 케이퍼 덤불의 피지 않은 꽃봉오리를 식초에 절여 만든 피클로 새끼손톱 절반만 한 크기부터 엄지 손톱만 한 것까지 크기가 다양하고 녹색빛을 띤다. 새콤 짭짤한 맛으로 생선요리와 무척 잘 어울린다.

### 시니강 파우더

: 시니강은 필리핀의 수프나 스튜 같은 음식이다. 분말 형태로 인터넷 식품점에서 구입할 수 있다.

### 앤초비

: 앤초비는 멸치과의 생선으로 소금과 향신료를 더
해 올리브유에 절여 만든 서양의 젓갈 같은 음식이
다. 통조림, 병조림, 향신료가 든 것 등 다양한 앤
초비가 있는데, 병조림 된 것이 좀 더 부드럽고 비린
내가 적은 편이다.

병조림

올리브유에
잰 앤초비

### 병아리콩

: 칙피, 이집트콩이라고도 불리며 요즘은 마트에서 통조림으로 된 제품을 어
렵지 않게 볼 수 있다. 말린 것과 통조림으로 된 것 모두 인터넷 쇼핑몰에서
쉽게 구할 수 있다.

### 엔다이브

: 치콘이라고도 하는 엔다이브는 배추속대처럼 생겼으며, 아삭하고 시원한 맛이
일품이다. 인터넷 쇼핑몰에서 구입할 수 있다.

● 치즈(Cheese)

이 책에서는 다양한 종류의 치즈를 사용하였다. 각각의 치즈가 어떤 특성에 따르게 다르게 사용되었는지 알
아본다.

### 고르곤졸라 치즈(Gorgonzola Cheese)

: 고르곤졸라는 이탈리아의 블루치즈이다. 푸른 곰팡이가 자라기 시작하는 단계를 비
앙코(Bianco), 60일 숙성된 것을 돌체(Dolce), 90~100일가량 숙성한 것을 피칸테
(Piccante)라고 부른다. 돌체는 맛이 부드럽고 좋아 거부감 없이 즐길 수 있다. 피칸
테는 콤콤한 향과 맛이 강하고 쉽게 부스러지는 특징이 있다. 요즘은 흔히 마트에서 구
입할 수 있는데, 돌체로 구입하면 거북하지 않게 즐길 수 있다.

### 그라나 파다노(Grana Padano)

: 이탈리아의 경성치즈로 만드는 시간과 숙성기간이 파르메산 치즈보다 짧아 가격은 조금 더 저렴하다. 풍미가 좋아 파스타나 그라탕 위에 가루를 내어 뿌려 먹거나 와인과 곁들여도 좋다. 파르메산 치즈 대신으로 사용해도 손색이 없다.

### 그뤼에르 치즈(Gruyere)

: 스위스와 프랑스의 접경지인 그뤼에르를 중심으로 만들어진 경성 치즈다. 비슷한 과정으로 만드는 에멘탈 치즈에 비해 짠 맛이 나고 향도 강하다. 풍미가 좋아 각종 요리에 이용된다.

### 에멘탈 치즈(Emmental Cheese)

: 흔히 '스위스 치즈'로 불리우는 치즈. 톰과 제리에 나오는 구멍이 뽕뽕 뚫린 치즈가 바로 에멘탈 치즈이다. 부드러운 지우개 같은 질감으로 쉽게 녹는 특징이 있고 맛이 담백하여 퐁듀 등의 요리에 두루 쓰인다.

### 페타 치즈(Feta Cheese)

: 치즈 중에서도 역사가 긴, 그리스의 부드러운 연성 치즈이다. 산지에서는 신선한 상태로 먹지만 유통을 위해 소금물에 담가 보관하는 경우가 많다. 다른 치즈에 비해 치즈의 콤콤한 풍미가 많진 않지만, 가볍고 부드러운 맛으로 샐러드나 각종 파스타의 토핑, 빵 반죽에도 들어가고, 와인과도 잘 어울린다.

### 파르메산 치즈(Parmesan Cheese)

: 이탈리아 북부 파르마 지방이 원산지인 치즈로 수분 함량이 적은 경성 치즈이며 파르미지아노 레지아노(parmigiano reggiano)라고도 부른다. 분말로 만들어 파는 것은 향과 맛이 매우 떨어지기 때문에 덩어리 치즈를 갈아서 사용하는 것이 좋다. 구입이 힘들다면 빼도 상관없다.

● 인터넷 식재료 쇼핑몰

특이한 식재료 들은 일반 소매점이나 마트에서 구하기 어려울 때가 있다. 전용 쇼핑몰에서 구입하면 구하기도 쉽고, 집까지 배달이 되므로 더욱 편리하다. 다음의 쇼핑몰 사이트를 참고하자.

**아시아마** : 각종 동남아시아와 서양 식재료를 구할 수 있는 사이트
http://www.asia-mart.co.kr/

**오트** : 각종 향신료와 수입 식재료를 구할 수 있는 사이트
http://www.otth.co.kr/shop/main/index.php

**허브올** : 구하기 힘든 각종 채소류와 허브를 판매하는 사이트
http://www.herb-all.co.kr/

※ 포털 사이트에서 각종 식재료를 검색하면 여러 가지 식재료를 쉽게 구입할 수 있다.


# 4. 자주 나오는 레시피

이 책에서 요리 중 자주 나오는 과정들을 따로 담았다. 어느 요리에나 시원한 국물로 잘 어울리는 멸치육수, 즉석에서 만들어 먹는 레몬 마요네즈 등은 해당 요리뿐 아니라 다른 요리 레시피로도 다양하게 활용 가능하다. 또 타르트 반죽 등은 만드는 과정이 복잡하므로 요리 전에 미리 익혀두면 더욱 편리하다.


● 멸치육수

한국 요리 시 가장 많이 사용하는 육수가 바로 멸치 육수이다. 간단하게 멸치와 다시마만 넣어도 맛있는 육수를 만들 수 있다. 멸치육수를 각종 찌개 및 국 의 육수로 사용하면 국물 맛이 더욱 진하고 깊은 맛 이 난다.

INGREDIENTS

- 국 멸치 5~7마리
- 다시마 사방 5cm 2장
- 마늘 3쪽
- 양파 1/4개
- 말린 표고 2개
- 물 1.2L
- 무 1토막(약 30g)

DIRECTIONS

1. 냄비에 멸치육수 재료를 넣고 펄펄 끓인 후 건더기를 건져내고 소금 간 한다.

1

● 맛간장(레몬 간장)

맛간장은 병에 담아 조금씩 덜어 사용하거나 먹기 직
전 레몬즙이나 식초를 조금 첨가해 초간장으로 만들
어 먹는다.

INGREDIENTS

□ 물 1/4컵 (60ml)　　　□ 마늘 2쪽
□ 다시마 사방 5cm 1장　□ 간장 1/4컵(60ml)
□ 양파 1/2개　　　　　□ 레몬즙 또는
□ 표고버섯 2개　　　　　　식초 조금

DIRECTIONS

1. 냄비에 물, 다시마, 양파, 표고버섯, 마늘을 넣고 우르르 끓인
   후 완전히 식힌다.

2. 간장을 넣어 잘 섞어준 후 간장만 체에 내려 밀폐용기에 보관
   한다.

● 레몬 마요네즈

샐러드에 드레싱으로 많이 사용하는 마요네즈는 시
판된 제품을 구입해서 많이 사용한다. 많은 재료 필
요 없이 집에 있는 재료들만으로도 신선한 마요네즈
를 만들 수 있다. 즉석에서 만든 마요네즈로 만든 신
선한 샐러드, 생각만해도 기분 좋아진다.

INGREDIENTS

□ 달걀 노른자 1개　　　□ 레몬 1개분의 레몬즙
□ 소금 1꼬집　　　　　□ 레몬 1개분의 제스트
□ 후춧가루 조금　　　　　(생략 가능)
□ 디종 머스타드 1작은술　□ 포도씨유 1컵
　(생략 가능)　　　　　　(250ml)

DIRECTIONS

1. 달걀 노른자에 소금, 디종 머스타드, 레몬즙을 넣고 거품기로
   저으면서 포도씨유를 조금씩 떨어뜨려 섞는다.

2. 걸쭉해지기 시작하면 시판 마요네즈 묽기가 될 때까지 거품기
   로 젓다가 맛을 보며 소금, 후춧가루로 간하고 레몬 제스트를
   넣어 준다.

## ● 베샤멜 소스

베샤멜 소스는 화이트 소스로 스테이크, 무스 등 다양한 요리와 어울리며 부드러움을 한층 더해준다.

### INGREDIENTS

□ 버터 15g
□ 밀가루 3큰술
□ 우유 250ml

□ 소금, 후춧가루, 넛멕가루 조금

### DIRECTIONS

1. 냄비에 버터를 녹이고 밀가루를 넣어 잘 저어주며 날밀가루가 보이지 않도록 볶는다.

2. 우유를 조금씩 넣어주며 거품기로 저어 덩어리가 지지 않고 되직해지도록 약불로 끓인다.

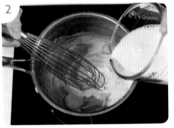

3. 생크림보다 조금 진해지면 소금, 후추 넛멕을 넣어 잘 섞어 준 후 불을 끄고 뚜껑을 덮어둔다.

   Tip 생크림 농도부터 풀 같은 농도까지 용도에 맞게 묽기를 조절한다. 너무 되직하다면 우유를 조금 더 넣어 잘 섞어주면 되고, 너무 묽다면 조금 더 가열하면 된다.

## ● 타르트 반죽(Short Paste)

타르트, 키슈, 파이에 모두 사용할 수 있는 반죽이다.

### INGREDIENTS

□ 20cm 반죽 2장 분량
□ 중력분 1과1/2컵(175g)
□ 소금 1꼬집

□ 깍둑 썬 차가운 버터 75g
□ 달걀 1개

### DIRECTIONS

* A : 손으로 만들기

1. 볼에 중력분, 소금, 버터를 넣고 고슬고슬한 상태가 되도록 손으로 비빈 후 달걀을 넣고 날 밀가루가 보이지 않도록 반죽한다.

2. 원반 모양으로 뭉쳐 랩에 싸서 30분간 냉장 휴지한다.

> **tip** 손으로 반죽을 만들 땐 버터가 녹지 않도록 재빨리 만드는 것이 중요하
> 다. 버터가 차가울수록 더욱 바삭한 반죽을 만들 수 있다.

\* B : 스크레이퍼 or 부침개 뒤집개 사용하기

1. 볼에 중력분, 소금, 버터를 넣고 스크레이퍼나 부침개 뒤집개로
   버터가 작고 고슬고슬해지도록 잘라주며 밀가루와 섞는다.

2. 1에 달걀을 넣고 날 밀가루가 보이지 않도록 반죽한다.

3. 원반 모양으로 뭉쳐 랩에 싸서 30분간 냉장 휴지한다.

\* C : 푸드 프로세서를 이용하기

1. 푸드 프로세서에, 밀가루, 소금, 깍둑 썬 버터를 넣고 기계를 작
   동 시켜 고슬고슬한 상태로 만든다.

2. 달걀을 넣고 한 덩어리가 될 때까지 기계를 작동 시킨 후 잘 뭉
   쳐 랩에 싸서 30분간 냉장 휴지한다.

● 아보카도 손질법

캘리포니아롤 등에 넣으면 부드러운 풍미가 일품인 아보카도, 아직 우리에게 익숙하지 않은 열대 과일이라 손질법에 대해 잘 모르는 사람들이 많다. 아보카도를 깔끔하게 손질하는 방법을 알아보자. 아보카도는 사과처럼 갈변되기 때문에 손질 후 되도록 빠른 시간 안에 먹도록 한다. 여의치 않을 땐 표면에 레몬즙을 발라두면 갈변되는 시간을 지연시킬 수 있다.

## DIRECTIONS

1. 칼이 씨에 닿도록 과육에 칼을 넣고 씨를 따라 한 바퀴 돌려 칼집을 낸다.

2. 잘려진 아보카도의 위 아래 과육을 잡고 비틀어 분리한다.

3. 수저로 씨를 파내거나, 칼로 씨를 찍은 후 돌려서 빼낸다

4. 손으로 껍질을 벗겨낸다. 잘 안 될 경우 숟가락을 껍질과 과육 사이에 넣어 돌려서 과육을 분리한다

5. 껍질을 벗긴 아보카도를 요리 용도에 맞게 잘라 사용한다.

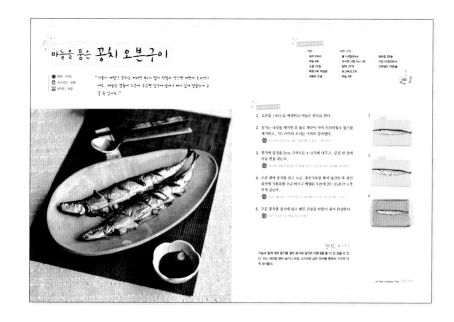

1. 분량은 대개 2인분 기준입니다. 인원이 늘어날 경우 인원수에 맞게 재료를 늘려주세요.

   양념 같은 경우 인원수에 맞게 양을 늘려서 만들되 조리를 할 때는 모두 넣지 않고 살짝 적게 넣어 주면 됩니다. 가장 좋은

   방법은 맛을 보면서 입맛에 따라 가감하는 것입니다.

2. 공간을 더욱 넓게, 자세히 사용하기 위해, 과정컷은 꼭 필요한 장면만 사용했어요.

3. 재료는 요리 순서에 따라 배열했어요. 요리를 하며 다음에 필요한 재료를 무엇인지 미리 준비할 수 있겠죠?

4. 재료 준비를 손쉽게 하기 위해 재료 중 몇몇은 재료 손질 방법을 재료명 옆에 기입했습니다. 재료를 준비하며 손질까지 한

   꺼번에 준비할 수 있습니다.

5. 재료 중 야채 견과 등은 무게 계량에 괄호로 한 손으로 집었을 때의 양인 줌을 표기하였습니다. 일일이 무게로 재기 번거

   로울 때는 분량에 따라 손으로 집은 만큼 사용하면 됩니다.

6. 소금 1꼬집은 엄지와 검지로 집었을 때 잡히는 양 정도입니다.

7. 후춧가루가 아주 조금 들어갈 때는 '조금'이라고 표기하였습니다. 1~2번 흔들었을 때 나오는 정도입니다.

8. 구하기 어려운 재료의 경우 재료 뒤에 대체할 수 있는 쉬운 식재료들을 표기했어요. 예를 들면, 카이엔 페퍼 가루의 경우

   집에 없다면 고운 고춧가루를 사용하면 돼요. 그리고 맛에 크게 영향을 주지 않는 식재료 및 양념은 생략 가능이라고 표

   기했어요. 한가지 요리를 위해 모든 식재료를 구비할 수는 없으니까요. 특히 여러 요리에 두루 사용하지 않는 식재료는 너

   무 아깝죠.

## Part

# 1

## 생선의
## 모든 것

### CONTENTS

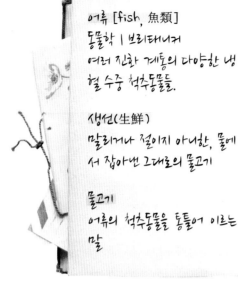

어류 [fish, 魚類]
동물학 | 브리태니커
여러 진화 계통의 다양한 냉혈 수중 척추동물들.

생선(生鮮)
말리거나 절이지 아니한, 물에서 잡아낸 그대로의 물고기

물고기
어류의 척추동물을 통틀어 이르는 말

이들이 우리가 이 책에서 다룰 fish 즉 어류를 이루는 말이다. 우리는 물고기가 잡혀 생선이 된 상태에서 요리를 할 것이므로 이 책에서는 주로 '생선'이라는 용어를 사용할 것이다. 고기라는 다른 질감과 맛을 지닌 생선의 매력에 빠져보자.

▶ 브리태니커 사전

# 1. 생선 살, 그것이 알고 싶다.

생선을 분류하는 것은 생선의 색깔, 모양 특성에 따라 여러 가지가 있다. 이 책에서는 생선을 주재료로 요리할 것이므로, 생선 살의 색에 따른 구분과 특성, 영양 성분에 대해 알아보자.

## ● 흰살 생선

– 살이 흰빛을 띠고 껍질은 비늘로 덮여 있으며 대부분 살이 두꺼운 것이 특징이다.
– 대부분 물속 깊숙이 살며 운동을 별로 하지 않아 살이 연하고 맛이 담백하며 비린내가 적다. 특히 민물고기는 흰살 생선인 경우가 많다.

### 종류

농어, 넙치, 가자미, 대구, 명태, 복어, 조기, 민어, 광어, 대구, 도미, 우럭, 병어, 갈치, 준치, 쥐치 등

### 주요 영양성분

흰살 생선은 단백질을 18~20% 함유하고 있어 육류와 비슷한 수준이며 필수아미노산이 많이 함유되어 있다. 또한 단백질이 풍부한 반면 지방이 적고, 소화 흡수력이 좋아 노인식, 환자식, 어린이 영양식 및 다이어트식으로도 좋다. 냉동식품으로 손쉽게 구할 수 있는 경우가 많아 계절에 상관없이 먹기도 편하다.

## ● 붉은살 생선

– 붉은살 생선이란 살이 적자색이나 적갈색을 띠는 생선을 말하는데, 대부분 얕은 바다에서 활발히 움직이는 생선이 붉은살 생선인 경우가 많다.

- 근육의 헤모글로빈과 미오글로빈 등의 색소 단백질 때문에 생선살이 붉은빛을 띤다고 한다.
- 단, 송어나 연어는 키로티노이드를 포함해 살이 붉은 빛을 띠고 근육색소는 흰살 생선과 비슷한 수준으로 적기 때문에 붉은 생선으로 분류하지 않는다.

### 종류

고등어, 참치, 멸치, 꽁치, 정어리, 가다랭이, 다랑어 등

### 주요 영양성분

흰살 생선에 비해 다량의 불포화 지방산을 함유하고 있어 영양이 좋고 맛이 진한 반면 비린 맛이 강하고 칼로리가 높은 편이다.

붉은살 생선에 들어 있는 DHA, EPA 등과 같은 오메가3는 세포보호, 원활한 신진대사, 혈액의 피막형성 억제, 뼈의 형성 촉진과 강화, 세포구조 유지 등의 효과가 있고 결핍되면 우울증, 정신분열증, 주의력결핍과잉행동장애, 시력저하, 심장질병 등이 발생할 수 있다. 또한 정상적인 성장과 발달, 신진대사에 없어서는 안 되는 영양성분으로. 특히 신생아와 청소년에게 더 많은 양이 필요하다. 체내합성이 되지 않아 반드시 식품으로 섭취해야 한다.

비타민 A, B2, D 등의 비타민과 셀레늄 함량도 높아 어린이 성장발달 및 면역력에 도움을 준다.

고등어는 비타민 A 함량이 높고, 꽁치는 비타민 D의 함량이 성인의 하루 필요량의 3배가량이다.

### 주의사항

몸에 좋은 불포화 지방산의 함유량이 높지만, 지방 함량이 높은 만큼 산패속도도 빠르므로 구입 후 빠른 시일 안에 먹는 것이 좋다.

신선하지 않은 붉은 살 생선은 가열해도 없어지지 않는 히스타민을 생성해 알레르기를 일으킬 수 있으므로 보관 및 섭취에 주의하고 신선한 상태로 섭취할 수 있도록 한다.


# 2. 맛있는 생선으로 건강도 챙기자

생선은 육류에 비해 각종 영양소가 풍부한 반면 지방질이 적은 저칼로리 식품에 속한다. 비만 등 각종 성인병과 관련된 질환이 만연하는 요즘, 맛과 영양, 칼로리 면에서 부족함이 없는 생선이 부각되고 있다.

다만 최근 해양 오염으로 생선을 먹는 것에 대해 염려하는 사람들이 많다. 그렇다면 생선을 어떻게 먹어야 할까? 건강에 좋은 맛있는 생선을 더욱 안전하게 먹을 수 있는 방법에 대해 알아보자.


● 생선을 더욱 안전하게 먹기

몸에도 좋고 영양도 풍부한 생선이지만, 해양 오염으로 중금속 함량이 높아졌다는 연구결과가 보고되고 있다. 그 중 어패류의 섭취로 인해 체내에 흡수되는 수은에 대한 위험성이 증가하고 있다. 수은 중독의 위험을 알 수 있는 대표적인 사건으로는 1956년 일본에서 수은이 함유된 공장 폐수가 흘러 들은 바다에서 잡은 생선을 먹

은 주민 47명이 사망한 일이 있었다. 일본 미나마타 현에서 일어난 이 수은 중독 사건 이후로 어패류로 인한 수은중독을 미나마타병이라고 부르게 되었다.

수은이 몸에 축적되면 뇌와 신장 기능이 저하되고 뇌 신경계에도 영향을 미쳐 운동 및 언어장애, 난청, 사지마비가 나타나 심하면 죽음에 이르게 된다. 또 수은은 태반을 통과해 태아에까지 전달되어 발달 장애나 뇌신경 장애 등의 심각한 손상을 입힌다.

자연상태로도 존재하는 수은이지만, 환경의 오염으로 인한 메틸 수은의 위험성이 증가하는 상황이라, 어패류로 인한 우리나라 사람의 수은 섭취율이 아직은 안전한 수준이라고는 하지만 안정성을 장담하기에는 충분하지 않다. 어떤 생선을 어떻게 먹어야 수은 섭취를 줄이고 조금 더 안전하게 생선을 먹을 수 있을까.

안전한 생선 섭취 방법에 대해 알아보자.

## 1 | 큰 생선의 섭취를 줄인다.
생선의 몸 안에 축적되는 수은은, 수명이 길고 육식을 하는 포식성 어류일수록 더욱 많이 축적하게 된다. 참치, 심해성 어류나 다랑어 및 새치류 같은 큰 생선보다는 크기가 작은 생선을 선택하는 것이 좋다.
먹이사슬을 생각했을 때 먹이사슬의 상위에 해당하는 생선일수록 수은을 많이 함유하고 있고, 먹이사슬의 하위에 있는 생선일수록 적은 양의 수은을 축적하고 있다.

## 2 | 중금속 해독에 좋은 음식과 함께 섭취한다.
셀레늄은 수은과 결합하여 화합물을 형성하는데, 이것이 수은의 위험을 상쇄시켜 주고 중금속을 해독하는 물질로 알려져 있다. 셀레늄은 강력한 항산화 효과 및 소화과정에 필수적인 성분을 함유하고 있다. 셀레늄이 함유된 식품은 동물의 간, 육류, 곡류, 달걀, 생선 등이다. 중금속 해독 작용이 될 만큼 섭취하는 것이 필요하지만 미량만 필요한 영양소이므로 과잉 섭취했을 땐 독성을 띠니 식품으로 자연스럽게 섭취하는 것이 가장 좋다.

## 3 | 비타민과 무기질이 풍부한 채소와 함께 먹도록 한다.
채소는 생선에 부족한 여러 가지 영양성분을 보충하는 역할도 하지만 양파, 양배추, 마늘 등은 체내에 흡수된 수은의 해독에도 좋다.

## 4 | 생선섭취 권고안
미국은 일주일에 먹는 어패류의 양이 340g을 넘지 않도록 권고한다. 참치, 상어, 옥돔 등 수은을 다량 함유한 생선의 경우 170g이상 먹지 말 것을 권고하고 있다.

영국에서는 임산부, 가임 여성, 16세 이하의 어린이들은 수은 함량이 높은 생선의 섭취를 피하라고 권고한다. 우리나라는 아직 정확한 기준은 없지만 식약청에서 임산부 및 가임여성, 수유모 및 유아에겐 수은 함유 가능성이 높은 참치나 황새치 등 심해성 어류의 섭취를 주 1회 100g이하로 섭취하는 것이 좋다는 발표가 있었다. 어패류의 과잉 섭취 및 회나 참치 등을 많이, 자주 먹는 것을 피하도록 하고 일주일에 3~5회 정도 크기가 작은 생선을 170g 미만으로 먹는 것은 안전하다고 하니 참고하여 먹도록 한다.

## ● 생선 섭취 시 주의사항

### 1 | 구입 후 빠른 시일 안에 먹기

생선은 변질되는 속도가 비교적 빠르기 때문에 구입 후 2~3일 안에 빨리 조리해 먹는 것이 좋다. 생선에서 불쾌한 비린내가 많이 나고 살이 물러지거나 빛깔이 변하기 시작했다면 부패가 진행되고 있는 것이니 섭취를 피하는 것이 좋다.

### 2 | 먹을 만큼 구입하기

등푸른 생선이 많이 함유하고 있는 불포화지방산은 산패가 빨리 진행되므로 많이 사서 냉동보관 하는 것보다 조금씩 먹을 만큼 구입해 먹는 것이 좋다.

### 3 | 기온이 높아지는 계절엔 회를 피하고 섭취를 더욱 주의한다.

어패류는 기온이 높아지면 여러 질병에 노출될 가능성이 높아진다. 여름에는 어패류는 날것으로 먹는 것은 피하고, 부패 속도가 빨라져 익혀 먹더라도 위험할 수 있으니 여름철 섭취는 주의하는 것이 좋다.

#### * 비브리오균

바닷물의 온도가 18~20℃로 높아지는 봄, 여름철엔 복통과 설사, 탈수가 동반된 발열을 유발하는 장염 비브리오 식중독에 걸릴 위험이 높다. 이런 계절엔 회로 먹는 것을 피하고 85℃ 이상의 온도에서, 1분 이상 충분히 가열해 먹도록 한다.

#### * 아니사키스증

아니사키스 기생충에 감염된 생선회를 섭취하면 아니사키스증에 걸리는데 식은땀과 복통, 위염이나 위궤양과 비슷한 증상이 나타난다. 생선을 영하 20℃ 이하로 냉동시키면 기생충이 사멸하기 때문에 생선을 하루 정도 냉동한 후 조리해 먹으면 예방할 수 있다.

#### * 마비성 패류독

봄철 수온이 10~15℃로 상승하면 그 부근의 패류에서 급속도로 증식하게 되는데 식후 30분 정도 되면 입, 혀, 안면이 저리고 타는 듯한 느낌이 이어지다가 목이나 팔, 수족으로 퍼지며 마비가 되는 증상이 나타난다. 심하면 호흡마비로 사망에 이르기도 한다. 조리방법에 상관없이 잘 파괴되지 않는 성질을 가지고 있으니 수온이 상승하는 이 시기엔 홍합이나 굴 등의 패류 섭취를 피하는 것이 좋다.

# 3. 이보다 더 좋을 순 없다, 음식 궁합

사람 사이처럼 음식에도 궁합이 있다. 같이 먹으면 맛이 좋을 뿐 아니라 건강에도 좋고 질병을 물리치는 힘도 기를 수 있다. 대개 생선요리를 할 때 미나리나 쑥갓, 두부 등을 많이 사용한다. 우리는 흔히 맛을 좋게 한다는 의미로 생각했지만 살펴보면 맛은 물론 영양과 건강까지 더해주었다. 생선을 더욱 맛있게 먹으면 좋은 생선과 궁합이 좋은 식재료들을 알아보자.

## ● 생선과 궁합이 좋은 식재료

### 1 | 무, 미나리, 쑥갓

생선에 부족한 비타민 C가 풍부한 무와 미나리, 쑥갓은 생선과 함께 먹으면 영양소를 보충해 주며 시원한 맛과 특유의 풍미를 더해 준다. 조림이나 탕 등에 함께 사용하면 좋다.

## 2 | 두부

생선에 부족한 페닐알라닌, 두부에 부족한 메티오닌과 라이신은 같이 섭취했을 때 상호 보완이 되며 두부에 함유된 철분은 생선의 비타민 D와 결합하면 체내 흡수율이 좋아진다.

## 3 | 양파, 양배추, 마늘 등의 채소와 달걀, 곡류, 유제품, 우유 및 유제품, 견과류

앞에서 언급했듯 생선 섭취는 자칫 잘못하면 수은 과다 복용으로 이어질 수 있다. 넉넉한 양의 각종 채소류와 유제품, 견과류와 함께 먹으면 생선에 들어 있는 중금속 해독에도 좋다. 생선과 견과류는 언뜻 생각하면 함께 조리할 수 있는 요리가 잘 떠오르지 않는다. 조금만 생각을 달리해 아이디어를 더하면 훌륭한 요리를 만들 수 있다. 책에도 이들 궁합에 맞춘 레시피들이 많으니 참고하자.

### ● 비린내 줄이는 방법 및 식재료

생선 요리를 좋아하지 않는 사람들의 주된 이유는 대개 생선 특유의 비린내에 있을 것이다. 비린내만 잡아주면 건강에도 좋은 생선 요리에 대한 편견이 싹 줄어줄 것이다. 생선의 비린내를 줄여주는 식재료와 사용방법에 대해 알아보자.

## 1 | 향신채소를 이용한다.

마늘, 생강, 파, 양파, 부추 등과 같은 향미를 더하는 재료와 같이 조리하면 비린내를 줄일 수 있다.

## 2 | 향신료를 사용한다.

구하기 간단하지만 향이 좋은 후추와 육두구(넛멕)를 이용한다.

## 3 | 허브를 이용한다

바질, 딜, 타임, 타라곤, 파슬리 등의 허브는 특유의 향이 있어 생선과 어우러져 풍미를 더해준다. 생 허브를 구하기 힘들 때는 말린 허브를 사용한다. 말린 허브를 사용할 때는 생 허브를 사용할 때보다 적은 양을 넣도록 한다.

## 4 | 레몬을 사용한다.

레몬즙과 레몬 껍질의 노란 부분만 얇게 강판에 갈아서 사용하는 레몬 제스트는 상큼한 향과 풍미를 더해 비린내를 줄여주지만 특유의 향이 너무 강해 본래의 풍미를 느끼기 힘든 경우도 있으니 조절해 사용한다.

## 5 | 생선에서 나오는 물기를 제거한 후 조리한다.

키친타월로 생선의 물기를 닦아준 후 조리한다. 특히 냉동 생선의 경우 해동하는 과정에서 나오는 수분을 잘 닦아주면 비린내를 줄일 수 있다.

## 6 | 구입 후 빨리 조리해 먹는다.

신선도가 떨어질수록 비린내도 강해지니 구입 후 빨리 조리해 먹는 것도 비린내를 줄이는 방법이 될 수 있다.

# 4. 맛 따라 철 따라, 제철생선

제철과일, 제철 채소란 말이 있다. 제철에 맞게 밖에서 햇볕과 바람을 맞은 과실이 더 건강하고 맛있다는 것이다. 그렇다면 생선에도 제철이 있을까? 과일도 제철이 있는 것처럼 생선도 마찬가지다. 생선이 가장 살이 오르고 맛이 좋으며 포획량이 많아 가격이 저렴해지는 때를 알아두면 경제적인 가격으로 영양가 좋은 생선을 먹을 수 있다. 단, 일반적으로 알려진 생선의 맛있는 시기를 적었으므로, 기온 상승이나 여러 요소로 기간에 조금씩 차이가 있을 수 있다.

| 봄(3~5월) | |
|---|---|
| 도미(11월~3월) | 지방이 적고 단백질이 풍부한 도미는 봄철의 최고 진미이다. |
| 참돔(4월~8월) | 날이 따뜻해지는 늦은 봄과 여름이 제철인 참돔은 분홍빛이 선명해지는 봄철이 제철인 생선이다. 도미류에 속하는 생선 중 맛이 가장 좋다. |
| 우럭(4월~6월) | 피조볼락이라고도 부르는 우럭은 살이 담백하고 맛이 좋아 각종 요리에 무척 잘 어울린다. |
| 숭어(2월~4월) | 저지방 고단백 생선으로 콜라겐이 풍부해 피부미용에 좋다. |
| 키조개(4월~5월) | 고단백 저칼로리 식품인 키조개는 철분이 풍부하다. 특히 패주라고도 불리는 키조개의 폐각근은 조개관자라고 불리며 특유의 맛이 일품이 다. |
| 바지락(2월~4월) | 시원하고 쫀득한 맛이 일품인 바지락은 국물요리에 잘 어울린다. |
| 꽃게(3월~5월) | 남해안에서 잡히는 꽃게는 봄의 알이 꽉 찬 암꽃게가 가장 맛있다. |

| 여름(6~8월) | |
|---|---|
| 갈치(7월~10월) | 부드러운 흰살이 맛 좋은 갈치는 지방이 많으면서도 맛은 담백하다. |
| 농어(5월~8월) | 여름 농어는 다른 계절에 비해, 또 다른 생선에 비해 단백질 함량이 높아 보양식으로도 손색이 없다. |
| 병어(5월~8월) | 납작한 모양의 병어는 지방이 적고 비타민 B1, B2가 풍부해 소화가 잘되는 생선이다. |
| 오징어(7월~11월) | 열량이 낮은 오징어는 어떤 방법으로 조리해 먹어도 맛이 좋다. 더운 여름엔 회로 먹는 것을 피하고 기생충을 조심하는 것이 좋다. 말린 오징어는 타우린 함량이 높지만 동시에 콜레스테롤 함량도 높으니 너무 많이 섭취하지 않는 것이 좋다. |

| | |
|---|---|
| 틸라피아(6월~8월) | 민물 생선인 틸라피아는 '역돔'이라고도 불린다. 비린내가 적고 단백질과 무기질이 풍부해 성장기 아동 및 청소년들의 발육촉진에 좋고 담백한 맛이 일품이다. 서양 식재료를 주로 판매하는 대형 마트에서 냉동으로 된 제품을 구입할 수 있다. |
| 장어(5월~7월) | 더운 여름 보양식으로 좋은 장어는 7월이 가장 맛이 좋다. 각종 영양소가 풍부하지만 지방함량이 높아 과잉 섭취하면 복통을 유발할 수 있다. |
| 민어(8월) | 지금은 흔히 보기 힘든 생선인 민어는 맛이 좋아 차례상에 많이 올라가는 생선 중 하나이다. 열량이 낮아 다이어트에도 좋지만, 성장기 어린이들에게 좋은 영양소와 노화 방지, 피부 탄력 유지에도 좋다. |

| 가을(9~11월) | |
|---|---|
| 고등어(9월~11월) | 한국인이 가장 좋아하는 생선으로 손꼽히는 고등어는 등푸른 생선의 대표주자이다. |
| 광어(9월~12월) | 회로 자주 먹는 광어는 비린내가 적고 맛이 좋아 탕이나 구이, 찜 등 어떻게 해 먹어도 맛있는 생선. 소화도 잘 될 뿐 아니라 칼로리도 낮아 다이어트에도 좋다. |
| 꽃게(9월~11월) | 가을은 수꽃게가 살이 많고 가장 맛있는 계절이다. |
| 대하(9월~12월) | 대하는 찬바람이 돌기 시작하는 가을이 살이 오르고 맛이 좋다. |
| 꽁치(10월~11월) | 가격은 저렴하지만 영양이 풍부한 꽁치는 소금만 뿌려 구워도 맛이 아주 훌륭하다. |
| 홍합(10월~12월) | 홍합은 찬바람 도는 가을부터 겨울이 제철이다. 외국에서는 각 달의 이름에 'R'이 들어가지 않는 달엔 먹어서는 안 된다는 속설이 있을 정도로 날이 더워지는 여름철(May, June, July, August)에는 독성이 있을 수 있으니 홍합 섭취를 피하는 것이 좋다. |
| 삼치(10월~2월) | 가을에 살이 오르기 시작하는 삼치는 쌀쌀한 날씨에 가장 맛있는 생선이다. |
| 연어(9월~10월) | 연어의 산란기는 9월~11월 사이인데, 그 직전에 잡은 연어가 가장 맛이 좋다고 한다. 육류에 비해 단백질 함량이 높고 등푸른 생선에 많이 함유된 오메가3도 풍부하다. |
| 송어(10월~11월) | 연어와 비슷한 모양과 살색을 가지고 있지만 크기가 조금 더 작다. 우리나라에선 주로 회로, 서양에선 구이나 찜 등으로 다양하게 조리해 먹는다. 저칼로리 고영양의 대표적인 식품 중 하나이다. |
| 가자미(10월~12월) | 모양이 납작하고 한쪽에 눈이 몰려있는 가자미는 비타민이 풍부하다. 서양에서는 살만 발라내 메인요리로 먹는 경우가 많다. |
| 감성돔(10월~12월) | 도미나 참돔이 봄에 맛이 좋은데 반해 회색빛을 띄는 감성돔은 찬바람이 나는 계절이 맛이 가장 좋아 겨울철 생선이라고도 불린다. 지방질이 적고 단백질 무기질, 철, 칼슘이 풍부하고 살이 단단한 것이 특징이다. |

| | |
|---|---|
| 정어리(10월~11월) | 정어리는 오메가 3가 풍부해 성장기 아동 및 청소년들에게 무척 좋은 생선이다. 상하기 쉬운 편이라 통조림 등으로 판매하는 경우가 흔하다. 성인병예방과 뇌 건강에 좋지만, 너무 많이 먹으면 과도한 열량 섭취의 원인이 되므로 적절한 섭식이 필요하다. |
| 조기(9월~2월) | 제사상에 오르는 조기는 지방이 적고 맛이 좋아 예로부터 사랑 받는 생선이다. |
| 굴비(9월~2월) | 조기에 소금을 뿌려 말린 것을 굴비라고 한다. 조기와 마찬가지로 지방함량이 적고 단백질함량이 높다. 짭짤하고 담백한 맛이 일품이다. |

| 겨울(12~2월) ||
|---|---|
| 아귀(12월~2월) | 우리나라에서 주로 찜으로 많이 먹지만 부드럽고 맛이 담백해 서양에선 스테이크나 스튜 등의 요리에 폭넓게 이용한다. |
| 동태(12월~1월) | 동태는 저장기간이 비교적 짧은 명태(생태)를 얼린 것으로 각종 영양소가 풍부해 몸살 기운이 있을 때 먹어도 좋다. 간을 보호하는 성분들까지 포함돼 있어 숙취해소나 피로회복에도 좋은 알짜배기이다. |
| 명태(12월~1월) | 어떻게 유통되는지에 따라 여러 가지 이름을 가진 명태는 생태라고도 불린다. 지방질이 적고 동태와 마찬가지로 각종 영양소가 풍부해 다이어트에도 도움을 줄 수 있는 생선이다. |
| 대구(사시사철) | 입이 커서 대구(大口)라는 이름을 갖게 된 대구는 사시사철 맛이 좋지만 산란철인 겨울, 특히 12월~1월이 조금 더 맛이 좋다고 한다. 지방은 적고 맛이 좋아 다이어트에도 좋고 비만인 사람에게도 좋다. 우리나라에선 주로 탕이나 전으로 많이 먹는 대구는 서양에선 스테이크 등으로 폭넓게 조리해 먹는다. |
| 청어(1월~2월) | 독특한 맛을 가진 청어는 우리나라 중요 수산물 중 하나다. 소화가 잘 되는 단백질을 다량 함유하고 있지만 열량이 높은 편으로 각종 영양소가 풍부해 동맥경화나 심장병 예방, 간 보호에도 좋다. |
| 굴(9월~12월) | 늦은 가을과 겨울이 가장 맛있는 굴은 바다의 우유라고도 불릴 정도로 각종 영양소와 칼슘이 풍부하다. 철분과 구리 성분이 있어 빈혈에도 좋지만, 수온이 상승하는 늦은 봄과 여름엔 가열해도 사라지지 않는 독소를 함유하므로 섭취하지 않는 것이 좋다. |
| 가리비(11월~12월) | 성장 발육에 도움이 되는 각종 영양소가 풍부하고 맛이 좋아 회나 국물요리에 두루 사용한다. 서양에선 폐각근 부분만 떼서 스테이크나 그라탕 등으로 조리해 먹는다. |

# 5. 생선 선택 요령과 간단 손질법

● 싱싱한 생선 고르기

어느 철에 어떤 생선이 맛있는지 알아봤으니 이제는 싱싱한 생선을 고르는 법을 알아볼 차례이다. 생선을 잘 모르니 생선 파는 사람 말대로 하면 되겠지 하는 생각은 고양이에게 생선 맡기는 격일 수도 있다. 아래 사항을 유념해 가며 싱싱한 생선 고르는 방법을 익혀보자.

## 1 | 눈과 아가미가 맑고 투명한 것을 고른다.

생선의 눈과 아가미는 생선의 신선도를 눈으로도 알 수 있는 가장 좋은 척도 이다. 생선의 눈이 흐리거나 붉은 핏줄이 보이기 시작했다면 이미 신선도를 잃은 것이다. 또한 아가미를 열어 아가미가 붉고 선명한지, 혹은 검은색을 띠기 시작했는지 살핀다.

## 2 | 빛깔이 선명하고 겉에 상처가 없는 것으로 고른다.

겉면에 상처가 있으면 상하기 쉬우며 특히 비늘이 촘촘히 박혀 있는지 주의해서 살핀다.

## 3 | 살이 단단한 것을 고른다.

생선 살을 손으로 눌렀을 때 단단하고 탄력이 있는 것을 고른다. 누른 자국이 움푹 패이거나 살이 원상태로 쉽게 돌아오지 않는 것은 싱싱하지 않다.

## 4 | 불쾌한 비린내가 나는지 확인한다.

아무래도 생선이므로 생선 특유의 비린내는 날 수가 있다. 하지만 싱싱한 생선은 비린내가 적은 편이다. 비린내 및 특히 상했을 때 나는 불쾌한 냄새가 나는지 확인한다.

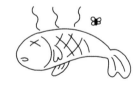

● 집에서 해 보는 간단한 생선손질

생선가게에서 생선을 구입하는 경우 대개 생선을 다듬는 것은 물론 찜이나 구이 탕 등의 용도에 알맞게 손질해 준다. 대개는 생선을 살 때 하려는 요리에 맞게 손질해 달라고 하면 된다. 그래도 가끔 있는 생선을 직접 손질해야 할 때를 대비해 생선 손질법에 대해 알아보자. 집이나 낚시터 등 야외에서도 생선손질 겁내지 않고 쉽게 할 수 있다.

가정용 칼로 포를 뜨거나 절단하는 것은 쉽지 않으니 포를 뜨거나 절단할 땐 구입처에서 해 오는 것이 절단면이 깔끔하다.

**1 | 지느러미를 가위로 잘라낸다.**

등지느러미, 가슴 지느러미, 배지느러미, 꼬리지느러미를 비롯한 지느러미를 꼼꼼히 제거한다. 크기가 작으므로 칼보다는 가위가 편리하다.

**2 | 비늘이 있는 생선이라면 칼로 긁어내 비늘을 제거한다.**

비늘이 있는 도미, 조기 등의 생선은 비늘이 물에 젖으면 투명해서 잘 보이지 않고, 사방으로 튀기 때문에 싱크대 안에서 하는 것이 좋다.

**3 | 배를 갈라 내장을 제거한다.**

아가미 중간부분부터 밑으로 잘라준 후 배를 가르고 내장과 내장을 싸고 있는 검은색 껍질을 제거한 후 깨끗이 씻는다.

**4 | 필요에 따라 붙어 있는 머리부분을 아가미 모양에 맞춰 잘라준다.**

하려는 요리의 특성에 따라 아가미 모양을 따라 머리를 자른다.

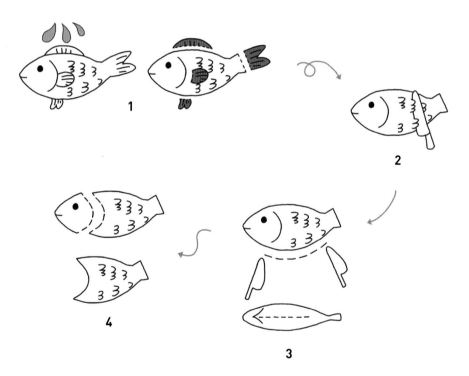

# 밥반찬과
# 찌개

rice and pot stew

# 마늘을 품은 꽁치 오븐구이

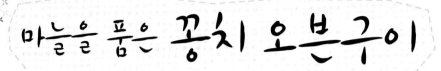

- 분량 : 2인분
- 조리시간 : 30분
- 난이도 : 초급

"가을이 제철인 꽁치는 비타민 B12가 많아 빈혈과 성인병 예방에 효과적이에요. 마늘을 곁들여 오븐에 구우면 집안에 냄새가 배지 않게 깔끔하게 구울 수 있어요."

## INGREDIENTS

| 재료 | 레몬 간장 | |
|---|---|---|
| □ 꽁치 2마리 | □ 물 1/4컵(60ml) | □ 레몬즙 2큰술 |
| □ 마늘 4쪽 | □ 다시마 사방 5cm 1장 | □ 간장 1/4컵(60ml) |
| □ 소금 1꼬집 | □ 양파 1/2개 | □ 고추냉이 1작은술 |
| □ 후춧가루 적당량 | □ 표고버섯 2개 | |
| □ 식용유 조금 | □ 마늘 2쪽 | |

## DIRECTIONS

1. 오븐을 190℃로 예열하고 마늘은 편으로 썬다.

2. 꽁치는 내장을 제거한 후 물로 깨끗이 씻어 키친타월로 물기를 제거하고, 지느러미와 꼬리는 가위로 잘라낸다.

    지느러미와 꼬리는 굽는 동안 탈 수 있으니 제거한다.

3. 꽁치에 칼집을 3cm 간격으로 4~5차례 내주고, 칼집 낸 살에 마늘 편을 꽂는다.

    꽁치에 마늘 편을 넣으면 향을 내주고 꽁치의 비린 냄새를 잡아준다.

4. 오븐 팬에 꽁치를 얹고 소금, 후춧가루를 뿌려 밑간한 후 생선 겉면에 식용유를 조금 바르고 예열된 오븐에 20~25분간 노릇하게 굽는다.

    유산지를 깔고 구우면 꽁치가 눌어붙거나 타는 걸 방지할 수 있다.

5. 구운 꽁치를 접시에 담고 레몬 간장을 만들어 내어 완성한다.

    레몬 간장은 23쪽을 참고하세요.

2

3

4

## NOTE

마늘과 함께 대파 줄기를 썰어 꽁치에 넣으면 비린내를 좀 더 잘 잡을 수 있다. 또는 생강을 썰어 넣거나 바질, 로즈마리 같은 허브를 뿌려서 구우면 더욱 향기롭다.

# 감칠맛이 배가된 꽁치 쌈장

- 분량 : 1컵 분량
- 조리시간 : 50분
- 난이도 : 중급

"생선 요리는 생선 특유의 비린내가 가장 걱정이죠. 하지만 양념을 잘 쓰면 비린내 걱정은 끝! 쌈장에 꽁치를 더해 꽁치 쌈장을 만들면 감칠맛이 배가되어 더욱 맛있는 쌈을 즐길 수 있어요. "

| 멸치 육수 | 쌈장 | |
|---|---|---|
| □ 물 2/3컵(160ml) | □ 꽁치 1마리 | □ 고추장 3큰술 |
| □ 국 멸치 10마리 | □ 식용유 조금 | □ 고춧가루 1큰술 |
| □ 다시마 사방 5cm 1장 | □ 양파 1/2개(다지기) | □ 꿀 1작은술 |
| □ 마늘 2쪽 | □ 다진 마늘 1큰술 | □ 참기름 1큰술 |
| | □ 청양고추 2개(다지기) | □ 땅콩 3큰술(다지기) |
| | □ 된장 2/3컵(180ml) | |

DIRECTIONS

1. 내장을 제거한 꽁치는 굽거나 쪄서 살만 바른다.

   **Tip** 꽁치살을 발라내는 것이 귀찮다면 꽁치 통조림을 사용한다.

2. 냄비에 멸치 육수 재료를 넣고 5분간 팔팔 끓인 후 건더기는 체에 밭쳐 걸러둔다.

3. 냄비에 식용유를 두르고 **1**의 꽁치살을 넣어 2~3분간 볶는다.

4. 다진 양파를 넣고 양파가 투명해지도록 볶다가 다진 마늘, 청양고추를 넣고 1분간 더 볶는다.

5. 된장, 고추장, 고춧가루, 꿀을 넣고 1분간 볶다가 멸치 육수를 넣고 되직해질 때까지 약불로 10~15분간 졸인다.

6. 불을 끄고 참기름과 다진 땅콩을 넣고 고루 섞어 완성한다.

1

5
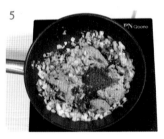

6

# 북어의 새로운 변신 북어포 간장조림

- 분량 : 2인분
- 조리시간 : 40분
- 난이도 : 중급

"가격도 저렴하고 맛도 좋은 북어포는 여러 가지 반찬으로 다양하게 만들어 먹을 수 있어 인기가 좋아요. 제사상에 올라가는 북어포를 짭조름한 간장 양념에 조려 밥반찬으로 만들어 보세요."

| 재료 |
▫ 북어포 3장
   (또는 북어 3마리)
▫ 실고추 조금

| 간장 양념 |
▫ 물 4큰술

▫ 간장 3큰술
▫ 청주 1큰술
▫ 꿀 1/2큰술
▫ 다진 마늘 1큰술
▫ 쪽파 1줄기(다지기)
▫ 통깨 1작은술
▫ 후춧가루 조금

DIRECTIONS

1. 북어포는 머리를 떼고 껍질을 벗긴 후 큰 가시들을 손으로 떼 어낸다.

 북어포 대신 황태포를 사용해도 좋다.

1

2. 손질한 북어를 5~7cm 길이로 잘라 볼에 담고 물을 부어 10 분간 불린 후 물기를 짜낸다.

3. 볼에 간장 양념 재료를 넣고 섞는다.

2

4. 약불로 달군 팬에 북어를 펴 담고 간장 양념을 위에 부어 익히 다 중간 중간 간장 양념을 끼얹어 조린 후 접시에 담아 실고추 를 얹어 완성한다.

4

# 밥상 위의 밥도둑 매운 황태구이

- 분량 : 2인분
- 조리시간 : 40분
- 난이도 : 중급

"입맛 없는 날 매콤한 맛으로 집 나간 입맛을 돌아오게 해 줄 황태구이랍니다. 매콤한 황태구이는 씹히는 식감도 좋아 그야말로 밥도둑이에요."

| 재료 | 고추장 1큰술 |
| --- | --- |
| 황태 2마리 | 고춧가루 1작은술 |
| 식용유 조금(구이용) | 꿀 1작은술 |
| | 다진 마늘 1큰술 |
| 양념 | 청양고추 1개(다지기) |
| 물 4큰술 | 참기름 1작은술 |
| 간장 3큰술 | 통깨 1작은술 |
| 청주 1큰술 | |

 DIRECTIONS

1. 볼에 머리를 떼낸 북어를 넣고 물을 부어 불린 후 가시와 지느러미를 제거하고 껍질 쪽에 칼집을 넣어 4~5cm 크기로 자른 후 물기를 꼭 짜낸다.

2. 볼에 양념 재료를 넣고 섞은 후 잘라 둔 북어와 잘 버무려 20분간 재운다.

3. 달군 팬에 식용유를 두르고 북어가 타지 않도록 구워 접시에 담아 완성한다.

1

2

3

# 매콤 짭조름한 황태채 무침

- 분량 : 2인분
- 조리시간 : 20분
- 난이도 : 초급

"매콤하고 짭조름한 황태채 조림은 입맛이 없을 때 최고의 반찬이지요. 만들기도 쉽고 한입에 쏙 들어가는 크기라 아이들이 먹기에도 안성맞춤이랍니다."

| 재료 |

☐ 황태채 50g(2줌)
☐ 청주 2큰술
☐ 물 2큰술
☐ 장식용 다진 쪽파 조금

| 양념 |

☐ 고추장 2큰술

☐ 고춧가루 1작은술
☐ 청주 2작은술
☐ 꿀 2작은술
☐ 참기름 2큰술
☐ 다진 마늘 1작은술
☐ 물 1큰술
☐ 통깨 1작은술

DIRECTIONS

1. 볼에 청주와 물을 섞은 후 5cm 길이로 자른 황태채를 넣어 10분간 재우고 물기를 꼭 짠다.

   tip 황태채에 청주를 부어 재워 두면 황태채가 부드러워지고 잡냄새도 잡을 수 있다.

2. 볼에 양념 재료를 넣고 섞은 후 팬에 부어 양념이 끓어오르면 황태채를 넣고 잘 무친다.

   tip 양념이 끓은 후 황태채를 넣고 청주의 알코올이 날아갈 정도로만 볶아 준다.

3. 접시에 담고 다진 쪽파를 얹어 완성한다.

1

2

2

NOTE

황태는 산란기의 명태를 겨울철 덕장에 걸어 얼리고 말리는 과정을 스무 차례 이상 반복해서 말린 북어이다. 더덕처럼 말랐다고 하여 더덕북어라고도 한다.

# 속이 확 풀리는 황태국

🍲 분량 : 2인분
⏰ 조리시간 : 40분
🎏 난이도 : 중급

"유명 체인점의 북엇국 집에서 만들어 먹자니 그 맛이 나지 않아 고민한 적 많으시죠? 황태를 이용해 집에서 만들어 보세요. 만들기는 쉽지만 맛은 결코 뒤지지 않는답니다."

| 멸치 육수 |
□ 물 1리터
□ 국 멸치 10마리
□ 다시마 사방 5cm 2장

| 황태 |
□ 황태채 50g(2줌)

□ 북어 불릴 물 1/2컵(125ml)
□ 참기름 1작은술
□ 다진 마늘 1작은술
□ 두부 1/2모
□ 청양고추 1개(어슷썰기)
□ 대파 1/2대(어슷썰기)
□ 국간장 1큰술

□ 소금 1꼬집
□ 후춧가루 조금
□ 달걀 1개(풀어서 준비)
□ 장식용 홍고추 조금
  (어슷썰기)

DIRECTIONS

1. 황태채는 5cm 길이로 자르고 두부는 사방 2cm 크기로 깍둑 썬다.

2. 냄비에 멸치 육수 재료를 넣고 10분간 팔팔 끓여 국물을 낸다.

   tip 물을 사용해도 좋지만, 멸치 육수로 사용하면 훨씬 맛이 좋다.

3. 볼에 황태채를 넣고 물을 부어 10~20분간 불려 부드럽게 만든 후 건진다.

4. 냄비를 약불로 달궈 참기름을 두르고 황태채를 2분간 볶다가 멸치 육수를 붓고 끓인다.

5. 국이 끓으면 두부를 넣고, 다진 마늘, 대파, 청양고추를 넣어 고루 섞고 국 간장을 넣는다.

6. 국물이 한소끔 끓으면 소금, 후춧가루를 넣고 밑간을 맞추고 풀어 놓은 달걀을 넣은 후 달걀이 살짝 익으면 홍고추를 얹는다. 홍고추의 숨이 가라앉으면 불을 끄고 그릇에 담아 완성한다.

   tip 달걀을 넣은 후 오래 끓이지 않는 것이 식감도 좋고 보기에도 좋다.

NOTE

황태는 숙취 해소와 간장 해독, 노폐물 제거 등의 효과가 있어 술을 마신 뒤 해장국으로도 매우 좋다.

# 포슬포슬 맛 좋은 북어 보푸라기

- 분량 : 2인분
- 조리시간 : 20분
- 난이도 : 초급

"포슬포슬한 식감이 좋은 요리예요. 북어 보푸라기는 북어포를 곱게 갈아 양념으로 버무린 것으로 죽과 함께 먹어도 좋답니다."

| 재료 | 간장 양념 | 고춧가루 양념 |
|---|---|---|
| ▫ 북어채 50g(2줌) | ▫ 간장 1작은술 | ▫ 고춧가루 1/2작은술 |
| | ▫ 꿀 1/4작은술 | ▫ 소금 2꼬집 |
| | ▫ 참기름 1작은술 | ▫ 통깨 1/2작은술 |
| | ▫ 통깨 1/2작은술 | |

DIRECTIONS

1. 북어채는 믹서에 넣어 곱게 갈고 간장 양념 재료는 볼에 담아 섞는다.

2. 곱게 간 북어채를 둘로 나눠 하나는 만들어 둔 간장 양념에 부어 손으로 보슬보슬 비벼서 고루 섞는다.

3. 남은 북어채에 소금을 넣고 고루 비벼 준 후 고춧가루와 통깨를 넣고 고루 섞어 보슬보슬하게 만든다.

tip 양념을 넣고 버무릴 때 손으로 꾹꾹 누르면 덩어리가 져서 보슬거리지 않으니, 살살 비벼서 섞는다.

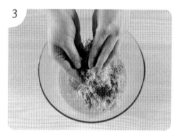

# 바삭한 과자 같은 멸치 견과볶음

🍲 분량 : 2인분
⏰ 조리시간 : 20분
🎏 난이도 : 초급

"고소하고 씹는 맛이 좋은 견과류를 반찬으로도 만들어 보세요. 다른 양념을 하지 않고 좋아하는 견과류와 꿀만 넣은 멸치 볶음은 과자처럼 바삭하고 달달해서 아이들도 좋아하는 메뉴예요."

| 재료 |

□ 잔멸치 100g
□ 호두 30g
□ 땅콩 30g
□ 아몬드 30g
□ 꿀 2큰술

□ 참기름 1큰술
□ 통깨 1작은술

DIRECTIONS

1. 마른 팬에 멸치를 넣고 5분간 볶아 바삭해지면 호두, 땅콩, 아몬드를 넣고 노릇하게 볶는다.

   *tip* 취향에 맞는 다른 견과류를 사용해도 좋다.

2. 불을 끄고 꿀을 넣어 잘 섞은 뒤 참기름과 통깨를 뿌려 완성한다.

   *tip* 꿀을 넣고 계속 끓이면 식고 나서 단단하게 굳기 때문에 꿀을 넣으면 불을 끄고 고루 섞는다.

 NOTE

마른 팬에 멸치를 볶은 후 체에 한번 쳐서 불순물을 제거하면 모양도 맛도 깔끔하게 조리할 수 있다. 다시 팬에 올려 볶을 때 식용유를 조금 두르면 풍미가 좋아진다.

# 질리지 않는 잔멸치 간장볶음

- 분량 : 2인분
- 조리시간 : 20분
- 난이도 : 초급

"이번엔 짭짤한 간장 맛으로 즐기는 잔멸치 간장볶음. 어떻게 해도 맛있는 멸치를 여러 가지 방법으로 만들면 질리지 않게 즐길 수 있어요."

| 재료 | | 간장 양념 |
|---|---|---|
| □ 잔멸치 100g(4줌) | | □ 물 2큰술 |
| □ 당근 20g | | □ 간장 1작은술 |
| □ 풋고추 1개 | | □ 꿀 1큰술 |
| □ 홍고추 1개 | | □ 매실액 1큰술(생략 가능) |
| □ 참기름 1큰술 | | |
| □ 통깨 1작은술 | | |

### DIRECTIONS

1. 당근, 풋고추, 홍고추는 5cm 길이로 가늘게 채 썬다.

    *tip* 고추는 씨를 제거한다.

2. 볼에 간장 양념 재료를 넣고 섞는다.

3. 멸치는 체에 쳐서 불순물들을 털어내고, 약불로 달군 마른 팬에 넣어 노릇해지도록 볶는다.

    *tip* 멸치를 팬에 한 번 볶은 후 다시 한 번 체를 이용해 털어내면 더욱 깔끔하게 볶을 수 있다.

4. 볶은 멸치에 채 썬 당근과 풋고추, 홍고추를 넣어 볶은 후 다른 그릇에 담는다.

5. 팬에 간장 양념을 넣고 끓여 걸쭉해지면 덜어 놓은 멸치와 고추, 당근을 넣어 섞은 후 불을 끄고 통깨와 참기름을 뿌려 완성한다.

    *tip* 잔멸치는 굵은 멸치보다 상대적으로 더 짠맛이 강할 수 있으니 멸치의 맛을 보고 간장 양념의 간장을 1작은술에서 1큰술까지 조절하면 좋다.

3

4

5

# 맵지만 맛있게 매운 멸치볶음

🍲 분량 : 2인분
⏰ 조리시간 : 20분
〰️ 난이도 : 초급

"맛있는 멸치를 더욱 맛있게 만들어 주는 매운 맛의 양념에 푹 빠져 보세요. 개인적으로 멸치를 참 좋아하는데, 그중에 가장 좋아하는 것이 바로 이 고추 장 양념에 볶은 매운 멸치 볶음이에요."

| 재료 | 고추장 양념 | |
|---|---|---|
| □ 볶음 멸치 100g(4줌) | □ 간장 2큰술 | □ 매실액 1작은술(생략 가능) |
| □ 식용유 조금(볶음용) | □ 청주 1작은술 | □ 통깨 2작은술 |
| □ 꿀 1큰술 | □ 고추장 4큰술 | □ 후춧가루 조금 |
| □ 참기름 1큰술 | □ 다진 마늘 1큰술 | |
| | □ 쪽파 1줄기(다지기) | |
| | □ 청양고추 1개(다지기) | |

DIRECTIONS

1. 볼에 고추장 양념 재료를 넣고 섞는다.

2. 멸치는 체를 이용해 가루와 불순물을 털어낸 후 달군 팬에 식용유를 두르고 노릇하게 볶는다.

3. 불을 줄이고 고추장 양념을 넣어 멸치와 고루 섞은 후 약불에서 2~5분간 볶고 불을 끈다.

   tip 팬에 양념을 넣기 전 볶은 멸치를 한 번 더 체에 털어 주면 좀 더 깔끔하게 볶을 수 있다.

4. 꿀을 넣어 윤기를 준 후 참기름을 넣어 완성한다.

1

2

4

# 환상의 궁합 꽈리고추 멸치볶음

🍲 분량 : 2인분
⏰ 조리시간 : 30분
🎹 난이도 : 초급

"멸치와도 궁합이 잘 맞는 꽈리고추예요. 꽈리고추에 들어 있는 캡사이신은 항산화 효과가 있고, 위액 분비를 촉진해서 식욕을 증진시켜준답니다."

| 재료 |
□ 볶음 멸치100g(4줌)
□ 꽈리고추(중) 20~25개

| 간장 양념 |
□ 물 1큰술
□ 간장 2큰술

□ 청주 1큰술
□ 다진 마늘 1작은술
□ 꿀 1큰술
□ 참기름 1큰술
□ 통깨 1작은술

DIRECTIONS

1. 꽈리고추는 씻어서 꼭지를 떼고 이쑤시개로 대여섯 개 정도 구
   멍을 뚫는다.

2. 볼에 간장 양념 재료를 넣고 섞는다.

3. 멸치는 체를 이용해 가루와 불순물을 털어낸 후 마른 팬에 5분
   간 볶아 수분을 날려준 후 다른 그릇에 담는다.

   tip 마른 팬에 멸치를 볶으면 비린내가 줄고, 바삭한 식감을 줄 수 있다.

4. 팬에 간장 양념을 넣은 후 양념이 끓으면 멸치와 꽈리고추를 넣
   어 3~5분간 볶은 후 불을 끈다.

5. 꿀, 참기름, 통깨를 섞어서 완성한다.

NOTE

꽈리고추에 구멍을 뚫어 주면 혹시라도 조리 과정에서 부풀어 올라 터지는 것
을 방지할 수 있고, 양념이 고루 스며들어 맛있게 먹을 수 있다. 너무 큰 꽈리
고추는 반으로 잘라 씨를 조금 털어 주면 깨끗하게 볶을 수 있다.

# 자꾸만 손이 가는 뱅어포구이

🍲 분량 : 뱅어포 10장
⏰ 조리시간 : 30분
🍴 난이도 : 초급

"간식처럼 한 장씩 집어 먹다 보면 금세 바닥이 보여 아쉽기만 한 메뉴예요. 다양하게 조미해 먹어도 맛있지만, 가장 일반적이면서도 맛있는 고추장 양념이 뱅어포와 정말 잘 어울립니다."

| 재료 |
□ 뱅어포 10장
□ 식용유 조금

| 고추장 양념 |
□ 간장 2큰술
□ 고추장 4큰술

□ 꿀 2큰술
□ 참기름 2큰술
□ 다진 마늘 1큰술
□ 다진 대파 1큰술
□ 통깨 2큰술

DIRECTIONS

1. 볼에 고추장 양념 재료를 넣고 섞는다.

1

2. 뱅어포에 고추장 양념을 고루 발라 10분간 겹쳐 둔다.

 요리용 붓이 없다면 숟가락 뒤편을 이용해도 좋다.

2

3. 달군 팬에 식용유를 두르고 뱅어포를 앞뒤로 고루 구운 후 먹기 좋은 크기로 잘라 완성한다.

3

 NOTE

뱅어포는 작은 물고기인 치어를 말려 가공한 것으로 칼슘 함량이 잔멸치보다
높기 때문에 임산부나 아이들에게 좋은 반찬이다.

# 부드럽게 변신한 쥐포채 고추장 볶음

- 분량 : 2~3끼 분량
- 조리시간 : 30분
- 난이도 : 초급

"맛은 좋지만 단단한 식감의 쥐포채, 보들보들하고 맛있게 만들 수 있는 방법이 있습니다. 이가 약한 어르신들도, 나이 어린 아이들도 부드럽고 맛있게 먹을 수 있어요."

**INGREDIENTS**

| 재료 | 고추장 양념 |
|---|---|
| ▫ 쥐포채 100g(3줌) | ▫ 고추장 1큰술 |
| ▫ 식용유 조금 | ▫ 간장 1큰술 |
| | ▫ 청주 1작은술 |
| | ▫ 꿀 1/2작은술 ~ 1작은술 |
| | ▫ 통깨 1/2작은술 |
| | ▫ 참기름 1/2작은술 |

**DIRECTIONS**

1. 쥐포채를 용기에 담고 물을 자작하게 부은 뒤 5~10분간 불린 후 물기를 꼭 짠다.

   *tip* 쥐포를 먹기 좋게 잘라서 사용해도 좋다.

2. 고추장 양념 재료를 냄비에 담고 약불로 살짝 끓인 후 불을 끈다.

3. 달군 팬에 식용유를 두르고 불린 쥐포채를 팬에 볶은 후 양념을 넣어 다시 볶는다.

4. 참기름과 통깨를 넣고 재빨리 섞어 완성한다.

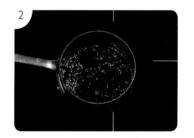

**NOTE**

쥐포채에서 비린내가 많이 난다면 물에 쥐포채를 불릴 때 청주를 1큰술 넣어 불린다.

# 뚝뚝 뜯어 더 맛난 바지락 수제비

🍲 분량 : 2인분
⏰ 조리시간 : 1시간
🎹 난이도 : 중급

"손으로 뚝뚝 뜯어서 만드는 맛있는 수제비를 바지락을 넣어서 만들어 봅시다. 쫄깃한 식감과 시원한 국물이 일품이에요."

| 재료 |

- 중력분 1과1/2컵(220g)
- 소금 1꼬집
- 반죽 물 1/2컵
- 바지락 200g
- 애호박 1/2개(반달썰기)
- 감자 1개(150g, 채썰기)

- 대파 흰 부분 1대(어슷썰기)
- 물 1.5L
- 소금 1/2작은술
- 후춧가루 조금

DIRECTIONS

1. 중력분에 소금, 반죽 물 1/2컵을 넣고 반죽한 후 랩에 싸서 잠시 휴지한다. 바지락은 연한 소금물에 담가 해감해 씻는다.

2. 냄비에 물 1.5L를 붓고 손질한 바지락을 넣어 바지락이 입을 열도록 삶은 후 건져낸 후 살만 발라둔다.

3. 바지락 국물을 끓여 감자를 넣고 반죽을 손으로 뜯어서 넣은 후 2~3분간 끓여 익힌다. 가라앉은 반죽이 위로 모두 떠올라야 익은 것이다.

4. 바지락살과 애호박을 넣고 한소끔 끓인 후 대파를 넣어 1분간 끓인다. 소금, 후춧가루를 넣어 간을 맞추고 그릇에 담는다.

NOTE

시판 생면 칼국수나 만두피를 작게 찢어서 끓이면 간편하게 만들 수 있다. 같은 반죽으로 칼국수 면을 만들면 바지락 칼국수가 된다.

# 시원함까지 더한 바지락 된장국

🍲 분량 : 2인분

⏰ 조리시간 : 40분

🎚 난이도 : 중급

"국물에 넣으면 시원한 맛을 더해주는 바지락을 된장 찌개에 넣으면 구수한 된장국 국물에 시원함까지 더한 바지락 된장국을 완성할 수 있습니다."

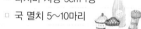
| 재료 |

- 바지락 200g
- 물 1L
- 소금 1큰술
- 애호박 1/4개(70~75g)
- 양파 1/2개
- 청양고추 1개(어슷썰기)
- 된장 3큰술

- 장식용 홍고추 1개
  (어슷썰기)

| 멸치 육수 |

- 물 700ml
- 다시마 사방 5cm 1장
- 국 멸치 5~10마리

DIRECTIONS

1. 물 1L에 소금 1큰술을 풀고 바지락을 넣어 윗부분을 덮어 어
   둡게 만든 후 30분~1시간 가량 해감한다.

2. 냄비에 멸치 육수 재료인 물 700ml와 국 멸치, 다시마를 넣고
   끓인 후 건더기는 건져내고 국물만 사용한다.

3. 멸치 육수에 된장을 풀고 양파, 애호박, 청양고추를 넣어 한소
   끔 끓인다. 바지락을 넣고 5분간 끓인 후 불을 끄고 홍고추로
   장식한다.

# 쉽고 간편한 꽁치 통조림 김치찌개

분량 : 2인분

조리시간 : 30분

난이도 : 초급

"꽁치 손질하는 것이 자신 없을 때, 비린내 없이 간편하게 생선을 먹고 싶을 때 자주 찾는 꽁치 통조림 김치찌개예요. 꽁치 통조림 하나만 있으면 완성 되는 레시피라 누구나 쉽게 만들 수 있어요."

| 재료 | 멸치 육수 |
|---|---|
| ▢ 꽁치 통조림 1캔 | ▢ 물 2컵(500ml) |
| ▢ 김치 200g | ▢ 다시마 사방 5cm  2장 |
| ▢ 김치 국물 1/2컵(125ml) | ▢ 국 멸치 5~10마리 |
| ▢ 양파 1/2개 | |
| ▢ 풋고추 1/2개(어슷썰기) | |
| ▢ 홍고추 1/2개(어슷썰기) | |

DIRECTIONS

1. 냄비에 멸치 육수 재료를 넣고 팔팔 끓인다.

2. 양파는 채썰고 김치는 5cm 길이로 썬다

   *tip* 김치의 속이 너무 많다면 살짝 털어내고 사용한다. 이때 물로 김치를 씻지 않는다.

3. 통조림 꽁치는 깡통에서 건진 후 체를 이용해 기름을 뺀다.

4. 냄비에 채 썬 양파와 김치를 넣고 1의 멸치 육수를 부은 후 10분간 끓인다.

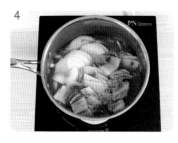

5. 기름을 뺀 꽁치를 넣고 2~3분간 더 끓인 후 고추를 얹어 완성한다.

NOTE

꽁치를 처음부터 넣고 끓이면 완성 후 살이 모두 풀어져 버리므로 한소끔 끓인 후 넣도록 한다.

# 다이어트에 좋은 고등어구이

🍲 분량 : 2인분
⏱ 조리시간 : 20분
🎋 난이도 : 초급

"불포화지방산이 풍부해 다이어트에도 좋은 고등어를 담백하고 상큼한 맛으로 즐겨 보세요. 간이 되지 않은 싱싱한 생물 고등어를 상큼한 레몬 간장에 찍어 먹으면 자반고등어와는 또 다른 풍미를 느낄 수 있어요."

| 재료 | |
|---|---|
| □ 생물고등어 1마리 | □ 양파 1/2개 |
| □ 식용유(구이용) 조금 | □ 표고버섯 2개 |
| | □ 마늘 2쪽 |
| | 레몬 간장 | |
| □ 물 1/4컵 (60ml) | □ 간장 1/4컵(60ml) |
| □ 다시마 사방 5cm 1장 | □ 고추냉이 1작은술 |

레몬 간장
□ 물 1/4컵 (60ml)
□ 다시마 사방 5cm 1장

□ 레몬즙 2큰술

DIRECTIONS

1. 고등어는 머리까지 길게 반으로 가르고 내장을 제거한다.

   tip 손질된 구이용 생물 고등어를 사용해도 된다.

2. 중불로 달군 팬에 식용유를 두르고 고등어의 등 부분을 얹어 3분간 굽고 뒤집어 2~3분간 더 굽는다.

   tip 생선을 구울 때는 비늘이 있는 등 부분부터 굽는다. 등의 비늘 부분이 열에 의해 오그라들기 때문에 먼저 굽지 않으면 살이 부스러진다.

3. 냄비에 물, 양파, 표고버섯, 마늘, 다시마를 넣고 끓인 후 완전히 식힌다.

4. 간장과 레몬즙을 넣어 섞은 후 체를 이용해 간장만 내린다.

   tip 레몬즙은 야채 우린 물이 뜨거울 때 넣으면 향과 맛이 달아나 풍미가 약해지니 완전히 식은 후 넣는다. 또는 많이 만들어 둔 후 먹기 직전에 레몬즙을 뿌려도 좋다.

5. 레몬 간장을 종지에 담고 고추냉이를 취향에 맞게 얹은 후 고등어와 함께 내어 완성한다.

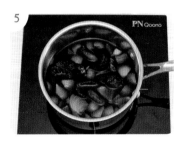

# 비린내가 사라진 고등어 된장구이

🍲 분량 : 2인분
⏰ 조리시간 : 45분
🎋 난이도 : 초급

"마늘이 듬뿍 들어간 된장 양념을 고등어에 발라 구우면 비린내도 잡아줄
뿐더러 구수한 맛까지 느낄 수 있어요. 밥도둑이 따로 없는 근사한 찬이
랍니다."

| 재료 | 된장 양념 |
|------|----------|
| □ 생물 고등어 1 마리 | □ 청주 1큰술 |
| □ 장식용 다진 쪽파 조금 | □ 된장 2큰술 |
| □ 식용유 조금(구이용) | □ 꿀 1/4작은술 |
| | □ 다진 마늘 1큰술 |
| | □ 생강가루 또는 생강즙 1작은술(생략 가능) |

## DIRECTIONS

1. 볼에 된장 양념 재료를 넣고 골고루 섞는다.

   *tip* 양념에 들어가는 꿀은 감칠맛을 주는 역할을 하므로 단맛이 강하게 나지 않도록 주의한다.

2. 손질한 고등어의 살 부분에 **1**의 된장 양념을 1큰술 정도 고루 묻혀 30분간 재운다.

3. 달군 팬에 식용유를 두르고 약불로 고등어의 등 부분을 3~4분, 뒤집어 2~3분간 더 굽고 다진 쪽파를 고등어 위에 뿌려 장식해 완성한다.

   *tip* 양념을 바르지 않은 등 부분을 구울 때, 뚜껑을 덮어 충분히 구운 후 뒤집으면 된장 양념을 태우지 않고 생선을 구울 수 있다.

---

**NOTE**

자반고등어를 사용하면 맛이 너무 짜게 되므로 생물 고등어를 사용한다. 된장 양념은 고등어 이외의 다른 생선에도 잘 어울리는 양념이므로 취향껏 좋아하는 생선에 응용해도 좋다.

# 매콤, 달콤, 담백한 고등어 고추장구이

🍲 분량 : 2인분

⏰ 조리시간 : 30분

〰️ 난이도 : 초급

"생물 고등어의 담백한 맛에 매콤, 달콤, 간간한 맛을 더한 고등어 고추장 구이예요. 입맛 없는 날 밥반찬으로 제격이랍니다."

| 재료 | | 청주 1큰술 | 장식 |
|---|---|---|---|
| □ 생물 고등어 1마리 | | □ 매실액 1큰술(생략 가능) | □ 청양고추 1/2개(다지기) |
| □ 식용유 조금(구이용) | | □ 꿀 1큰술 | □ 쪽파 1줄기(다지기) |
| | | □ 다진 마늘 1큰술 | □ 참깨 조금 |
| 고추장 양념 | | □ 쪽파 1줄기(다지기) | |
| □ 고추장 3큰술 | | □ 청양고추 1개(다지기) | |
| □ 고춧가루 1큰술 | | □ 참기름 1큰술 | |
| □ 간장 1작은술 | | | |

DIRECTIONS

1. 볼에 고추장 양념 재료를 넣고 섞는다.

1

2. 중불로 달군 팬에 식용유를 두르고 고등어의 등 부분을 2분, 반대 부분을 2분간 구워 80% 정도만 굽는다.

3. 약불로 줄인 후 고추장 양념을 고등어의 살 부분에 절반 정도만 바른 뒤 1분간 굽고, 뒤집어서 남은 양념을 발라 1분간 굽는다.

  *tip* 팬에 기름이 흥건하다면 키친타월로 닦아낸 후 고추장 양념을 바른다.

2

4. 고등어를 접시에 담고 팬에 남은 고추장 양념을 위에 뿌린 후, 다진 청양고추, 쪽파, 참깨를 뿌려 완성한다.

3

NOTE

생선은 오래 구우면 퍽퍽해지고 단단해져 씹는 맛이 좋지 않다. 씹는 맛이 부드러울 수 있도록 초벌구이 때는 80% 정도만 익히고, 양념을 바른 후 완전히 익힌다.

# 장이 좋아하는 고등어 시래기 된장찜

- 분량 : 2~3인분
- 조리시간 : 40분
- 난이도 : 중급

"미네랄과 식이섬유소가 골고루 들어 있는 시래기가 고등어와 어우러지면 부족한 영양소가 보충되어 몸에 더 없이 좋은 영양식이 되죠. 맛도 좋은 시래기는 변비에도 좋답니다."

## INGREDIENTS

| 재료 |
- 고등어 1마리
- 시래기 200g
  (또는 말린 시래기 한 줌)
- 감자 2개
- 양파 1/2개
- 무 1토막(300g)

| 된장 양념 |
- 된장 3큰술
- 고추장 2큰술
- 고춧가루 3큰술
- 간장 2큰술
- 청주 1큰술(생략 가능)
- 꿀 1/2작은술

- 다진 마늘 2큰술

| 장식 |
- 풋 · 홍 고추 조금(채썰기)
- 어슷 썬 대파 조금

## DIRECTIONS

1. 고등어는 탕용으로 손질한 것을 사용한다. 감자는 4등분하고 양파는 채썬다. 무는 1cm 두께로 은행 잎 모양으로 썬다.

2. 말린 시래기를 사용할 경우 3시간 정도 찬물에 담가 불리고 끓는 물에 넣어 30분~1시간 정도 삶아 찬물에 여러 번 헹군 후 먹기 좋은 크기로 자른다.

   tip 삶아서 판매하는 시래기를 사용하면 요리과정이 더욱 간편해진다.

3. 볼에 된장 양념 재료를 넣고 섞은 후 시래기를 넣어 무친다.

4. 무를 깔고 그 위에 고등어 → 시래기 순으로 얹고 빈 자리에 감자를 넣은 후 물을 자박하게 부어 10~15분간 끓인다. 다 익으면 채썬 고추와 대파를 얹어 완성한다.

   tip 자반 고등어를 사용할 경우 너무 짤 우려가 있으므로 물의 양으로 간을 조절한다.

3

4

4

## NOTE

생수 대신 야채 멸치 육수를 쓰면 국물 맛이 더욱 진해진다. 또는 물 500ml, 다시마 사방 5cm 2장, 양파 1/2개, 마늘 2쪽, 대파 1대, 통후추 5알을 넣고 끓인 물을 사용해노 좋나.

# 수험생에게 추천하는 삼치 카레구이

🍲 분량 : 2인분

⏰ 조리시간 : 5분

🎹 난이도 : 초급

"겨울철에 가장 맛있는 등 푸른 생선 삼치. 삼치의 DHA는 치매 예방, 기억력 증진에도 좋고 암 예방에도 효과적이에요. 그래서 공부하는 수험생들에게 추천하고 싶은 요리예요."

| 재료 | 카레 양념 |
|---|---|
| ▫ 삼치 1마리(구이용) | ▫ 청주 1큰술 |
| ▫ 소금 1꼬집 | ▫ 카레가루 4큰술 |
| ▫ 후춧가루 조금 | ▫ 다진 마늘 1작은술 |
| ▫ 식용유 조금 | |

DIRECTIONS

1. 볼에 카레 양념 재료를 넣고 섞는다.

2. 삼치에 소금, 후춧가루를 뿌려 밑간하고 카레 양념을 살 부분에 고루 묻혀 30분간 재운다.

3. 중불로 달군 팬에 식용유를 두르고 삼치를 껍질 부분부터 2~3분간 구운 뒤, 뒤집어서 2~3분간 타지 않도록 구워 완성한다.

 NOTE

카레가루에 들어 있는 강황은 어깨 통증, 생리통, 복통에 효과적이고, 특유의 향으로 비린내도 잡아주어, 생선 요리에 잘 어울리는 재료이다. 같은 양념으로 고등어나, 연어, 동태나 대구에 발라 구워도 맛있게 먹을 수 있다.

# 김치에 돌돌 말린 삼치 김치찜

- 분량 : 2인분
- 조리시간 : 50분
- 난이도 : 중급

"면역성 강화, 노화 억제, 심장병 예방, 동맥경화 예방에 도움을 주는 김치는 삼치에 부족하기 쉬운 각종 비타민과 영양소가 풍부해요. 돌돌 말린 김치를 풀어서 삼치를 먹는 재미가 쏠쏠한 삼치 김치찜이랍니다."

| 재료 | 마늘 2쪽 | 후춧가루 조금 |
|---|---|---|
| ☐ 삼치 1마리(탕용) | ☐ 물 1컵(250ml) | ☐ 다진 마늘 1큰술 |
| ☐ 김치 1/4포기(000g) | | |
| ☐ 양파 1개(채썰기) | | 김치찜 양념 | | 장식 | |
| | ☐ 간장 2큰술 | ☐ 풋고추 조금(어슷썰기) |
| | 멸치 육수 | | ☐ 청주 1큰술 | ☐ 홍고추 조금(어슷썰기) |
| ☐ 다시마 사방 5cm 1장 | ☐ 고추장 1큰술 | ☐ 대파 조금(어슷썰기) |
| ☐ 국 멸치 10마리 | ☐ 고춧가루 2큰술 | |

## DIRECTIONS

1. 냄비에 멸치 육수 재료를 넣고 한소끔 끓인 후 불을 끈다.

2. 볼에 김치찜 양념 재료를 넣고 섞는다.

3. 삼치 한 토막당 김치 잎사귀 2~3장 정도를 삼치 토막에 동그랗게 감싸 말아준다.

4. 냄비 바닥에 채 썬 양파를 깔고 그 위에 김치로 싼 삼치를 올린 후 김치찜 양념을 얹는다. 멸치 육수를 자작하게 부어 20분간 중불로 끓인다.

   *tip* 국물이 졸아들어 육수가 부족하면 물을 더 넣는다.

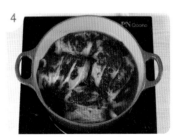

5. 약불로 줄여 김치가 물러지도록 10~15분간 더 끓이고 고추, 어슷 썬 대파를 올려 3~5분간 더 끓인 후 불을 꺼 완성한다.

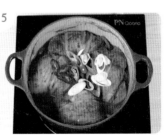

# 담백하고 부드러운 삼치국

🍲 분량 : 2~3인분

⏰ 조리시간 : 50분

🎋 난이도 : 중급

" 비린내가 적고 살이 연한 삼치는 구이뿐 아니라 국거리로도 좋아요. 흔히
먹는 생선 지리탕과 비슷한 삼치국은 다른 재료 없이 삼치만 넣어 끓여도
담백하고 맛이 부드러워 사랑 받는 메뉴랍니다. "

INGREDIENTS

| 재료 | | 멸치 육수 | | | 마늘 3쪽 |
|---|---|---|---|---|---|
| □ 삼치 1마리(구이용) | | □ 물 1.2L | | □ 소금 2작은술 | |
| □ 소금 1꼬집 | | □ 국 멸치 10마리 | | | |
| □ 후춧가루 적당량 | | □ 양파 1/4개 | | 장식 | |
| □ 전분 조금 | | □ 무 1토막(약 30g) | | □ 풋고추 조금(채썰기) | |
| | | □ 말린 표고버섯 2개 | | □ 홍고추 조금(채썰기) | |
| | | □ 다시마 사방 5cm 2장 | | □ 대파 조금(채썰기) | |

DIRECTIONS

1. 냄비에 멸치 육수 재료를 넣고 끓인 후 건더기는 체로 건져내고 소금을 넣어 밑간 한다.

2. 삼치를 먹기 좋은 크기로 어슷하게 썰고 소금, 후춧가루를 뿌려 30분간 재운다.

3. 재워 둔 삼치의 앞뒤 면에 전분을 고루 묻혀 끓는 멸치 육수에 넣는다.

4. 3의 삼치가 익어서 국물 위로 떠오르면 접시에 덜어 장식으로 채썬 고추와 대파를 얹어서 완성한다.

> tip 삼치는 살이 부서지기 쉬우니 덜어낼 때 모양이 부스러지지 않도록 주의해야 한다.

NOTE

생선을 손질해 준 곳에서 머리와 뼈를 얻어 올 수 있다면, 물 1L에 마늘 2쪽을 넣고 머리와 뼈를 넣어 국물을 우려내면 감칠맛이 더해진다.

# 눈 내린 소금옷을 입혀 구운 삼치

🍲 분량 : 2인분
⏰ 조리시간 : 50분
🎏 난이도 : 중급

"소금으로 옷을 만들어 구운 생선은 따로 간을 하지 않아도 짭짤하면서 담백한 맛이 나지요. 소금옷을 톡톡 깨 발라 먹는 재미가 있는 메뉴예요."

| 재료 | | 소금옷 |
| --- | --- | --- |
| ▫ 삼치 1마리(내장 제거) | | ▫ 천일염 500g |
| ▫ 마늘 3쪽(편 썰기) | | ▫ 달걀 흰자 2개 |
| ▫ 대파 흰 부분 1대 | | ▫ 다진 파슬리 1큰술 |
| ▫ 후춧가루 조금 | | |

DIRECTIONS

1. 오븐은 220℃로 예열하고, 대파의 흰 부분은 3~4cm 길이로 잘라 세로로 반을 가른다.

2. 삼치의 배 부분에 후춧가루를 뿌리고 편으로 썬 마늘과 **1**의 대파를 끼워 넣는다.

2

3. 볼에 소금옷 재료를 넣고 섞는다.

4. 삼치를 오븐 팬 위에 얹고 소금 반죽으로 삼치 윗부분을 완전히 덮어 오븐에 25~30분간 굽는다.

   *tip* 삼치뿐 아니라 다른 생선으로 만들어 먹어도 좋다.

   *tip* 오븐 사용이 가능한 접시 위에 올려 구운 후 바로 서빙하면 편리하다.

4

5. 오븐에서 꺼내 구워진 소금 반죽을 칼로 두드려 깬 후 접시에 담아 완성한다.

   *tip* 굽고 난 소금은 먹지 않고 버린다.

5

NOTE

* 토막 난 생선의 살 부분에 소금 반죽이 닿으면 맛이 짜지기 때문에 통 생선으로 요리한다. 소금 반죽을 완전히 덮지 않으면 탈 수 있으니 빈 부분이 없도록 잘 덮어 줘야 한다.
* 오븐 팬에 유산지를 깔고 구우면 팬에 생선이 눌어붙지 않아 편리하다.

# 달달한 데리야끼 삼치 간장조림

🍲 분량 : 2인분
⏰ 조리시간 : 20분
🎹 난이도 : 초급

"흔히 데리야끼라고 불리는 간장조림! 달콤하지만 많이 달지 않아 우리 입맛에도 잘 어울리는 삼치 간장조림으로 맛있고 간단하게 한끼 해결해보세요."

| 재료 | 조림 간장 양념 |
|---|---|
| ▫ 삼치 1마리 | ▫ 간장 3큰술 |
| ▫ 식용유 조금(구이용) | ▫ 청주 1큰술 |
| | ▫ 매실액 1큰술(생략 가능) |
| | ▫ 꿀 1작은술 |
| | ▫ 참깨 조금 |

1. 냄비에 조림 간장 양념 재료를 넣고 한 번 우르르 끓인 후 불을 끈다.

2. 중불로 달군 팬에 식용유를 두르고 삼치의 등 부분을 2분간 굽고, 뒤집어서 1분간 더 굽는다.

3. 팬에 기름기가 많다면 키친타월로 닦아내고, 조림 간장 양념을 삼치 위에 뿌린 후 앞뒤로 각 1분씩 졸여 접시에 담아 참깨를 뿌려 완성한다.

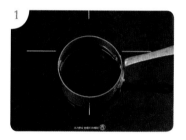

 N O T E

데리야끼는 어패류를 구워서 미림을 넣은 간장 소스로 윤기가 나도록 굽는 요리를 말한다. 동일한 양념으로 설탕을 넣기도 하는데 다른 생선을 이용해 조리해도 좋다.

# 맨밥에 쓱쓱 굴비 약고추장

- 분량 : 1/2컵 분량
- 조리시간 : 40분
- 난이도 : 중급

"어렸을 적 아버지께서 명절 선물로 받으셨던 굴비 고추장. 그 기억을 살려 만들어본 굴비 약고추장을 맨밥에 쓱쓱 비벼 먹으면 다른 반찬이 필요 없지요. 비빔밥에도 잘 어울리는 쓰임 좋은 녀석, 굴비 약고추장이에요."

| 재료 |

- 굴비 2마리
- 식용유 조금(구이용)
- 청주 2큰술
- 고추장 6큰술
- 다진 마늘 1큰술
- 꿀 1큰술

- 땅콩 3큰술
- 통깨 1큰술
- 참기름 2큰술

DIRECTIONS

1. 땅콩은 볶아 다지고 굴비는 팬에 식용유를 두르고 노릇하게 구워 손으로 살만 바른다.

2. 달군 팬에 식용유를 두르고 굴비 살을 볶아 수분을 날린 후 청주를 넣고 2분간 더 볶는다.

3. 굴비 살에 고추장을 넣고 1분간 볶다가 꿀, 다진 마늘을 넣어 조금 걸쭉해실 정도로 볶는다.

4. 다진 땅콩과 통깨를 넣고 더 볶다가 불을 끄고 참기름을 넣어 완성한다.

   *tip* 땅콩 대신 원하는 견과류를 넣거나 빼도 되고, 굴비 대신 다진 쇠고기를 넣어 만들 어도 좋다.

1

2

3

# 얼큰해서 끌리는 굴비 매운탕

🍲 분량 : 2인분

⏰ 조리시간 : 40분

🎋 난이도 : 중급

"한 번 건조한 굴비는 비린내가 훨씬 적고 살이 맛있어서 매운탕으로 만들어도 맛있게 먹을 수 있답니다. 굴비를 구워서 먹기만 했다면, 하루쯤은 매운탕으로 즐겨 보는 것도 좋을 것 같아요."

## INGREDIENTS

| 재료 | □ 대파 1대 | □ 국간장 1큰술 |
| --- | --- | --- |
| □ 물 700ml | □ 풋고추 1/2개(채썰기) | □ 청주 1큰술 |
| □ 굴비(대) 2마리 | □ 홍고추 1/2개(채썰기) | □ 생강가루 1/2작은술 |
| □ 참기름 1작은술 | | □ 다진 마늘 2큰술 |
| □ 무 1토막(150g) | 매운탕 양념 | □ 대파 2cm 1대(다지기) |
| □ 애호박 1/2개 | □ 고추장 1큰술 | □ 청양고추 1개(다지기) |
| □ 쑥갓 한 줌 | □ 고춧가루 1큰술 | |

## DIRECTIONS

1. 무는 은행잎 모양으로 썰고, 애호박은 반달썰기한다.

2. 굴비는 꼬리와 지느러미, 비늘을 제거한 후 내장을 빼내 깨끗이 씻는다.

   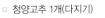 지느러미와 꼬리는 가위로 잘라내고, 칼날을 세워 비늘을 긁어내면 된다.

3. 볼에 매운탕 양념 재료를 넣고 섞는다.

4. 냄비에 참기름을 두르고 무를 넣어 2분간 볶다가 물을 붓고 매운탕 양념을 넣고 끓인다.

5. 국물이 끓으면 굴비, 애호박을 넣고 굴비가 80% 정도 익도록 끓이고 채썬 대파와 고추를 넣고 한 번 더 끓인 후 쑥갓을 넣고 바로 불을 꺼 완성한다.

 NOTE

같은 조리법으로 다른 생선을 이용해 매운탕을 만들면 다양하게 응용이 가능하다. 쑥갓 대신 미나리를 썰어 넣어도 좋고, 느타리 버섯을 더하면 더욱 맛있다.

# 껍질까지 맛있는 굴비구이

🍲 분량 : 2인분

⏰ 조리시간 : 20분

🎚 난이도 : 초급

"노릇한 색이 먹음직스러운 굴비구이!! 한 마리로 부족할지도 몰라요. 비린 냄새가 적고 맛이 좋은 굴비에 찹쌀옷을 입혀 노릇하게 구우면 껍질까지 고소하고 바삭하게 먹을 수 있어요."

## DIRECTIONS

1. 굴비는 꼬리와 지느러미를 떼고 비늘을 칼로 긁어서 제거한다.

   **tip** 껍질까지 모두 먹을 수 있도록 비늘과 지느러미를 깔끔하게 제거해 주고, 내장을 제거해도 좋다.

2. 앞뒤로 찹쌀가루를 입히고 풀어 놓은 달걀을 고루 묻힌다.

3. 달군 팬에 식용유를 두르고 굴비를 얹은 후 노릇하게 구워낸다.

   **tip** 달걀옷이 타지 않도록 약불에서 뚜껑을 덮어 굽는다.

### NOTE

굴비는 조기를 깨끗이 씻은 후 소금에 절여 빳빳해질 때까지 말린 것이다. 황석어라고 불리는 참조기가 3월 중순 영광 법성포를 지날 때 잡아 말려 만든 것이 유명한 영광굴비이다.

# 날치알이 톡톡 날치알 달걀찜

- 분량 : 2인분
- 조리시간 : 40분
- 난이도 : 중급

"달걀찜에 날치알을 넣으면 오독오독 씹히는 식감이 재미있어요. 연어알로 장식해 주면 보기도 좋은 요리가 완성됩니다."

| 재료 |

□ 달걀 2개
□ 물 1컵(250ml)
□ 가쓰오부시 국수장국 1작은술
  (또는 멸치육수 250ml에 진간장
  1/4작은술)
□ 청주 1/2작은술

□ 소금 1꼬집
□ 간장 1/2작은술
□ 날치알 2큰술
□ 장식용 연어알 조금
  (생략 가능)

DIRECTIONS

1. 달걀을 볼에 풀고 물, 가쓰오부시 국수장국, 청주, 소금, 간장을 넣고 잘 섞어 체로 한번 거른다.

   *tip* 달걀물을 체에 한번 걸러주면 알끈이 제거되어 식감이 부드러운 달걀찜을 만들 수 있다.

2. 달걀에 날치알을 넣고 달걀찜을 할 용기에 달걀물을 붓는다. 김 오른 찜통에 올려 약불로 10분간 찌고 뚜껑을 열어 2~5분간 쪄서 완성한다.

   *tip* 날치알을 달걀에 섞지 않고 완성된 달걀찜 위에 얹어 줘도 좋다.

NOTE

약하게 김을 올려 찌면 모양이 단정한 달걀찜을 만들 수 있다. 너무 오래 찌면 색이 변하고 식감이 단단해지니 시간을 잘 조절해 준다.

# Part 3

## 도시락과 일품요리

packed lunch and one course dinner

# 고소함이 한입 가득 고등어 쌈밥

- 분량 : 2인분
- 조리시간 : 20분
- 난이도 : 초급

"가시를 발라내지 않아도 되는 간편함은 덤! 보암직하고 먹음직도 한 고등어 쌈밥이에요. 손님상에 내어도 좋지만, 야외용 도시락으로도 간편해 좋아요."

| 재료 | | 장식 |
|---|---|---|
| □ 밥 2공기 | □ 자반고등어 | □ 풋고추 1/2개(채치기) |
| □ 소금 1꼬집 | (또는 생물고등어) 1/2마리 | □ 홍고추 1/2개(다지기) |
| □ 참기름 1작은술 | □ 청주 1큰술 | □ 마늘 3~4쪽(편 썰기) |
| □ 통깨 1/2작은술 | □ 식용유 조금(구이용) | |
| □ 꽃상추 10~15장 | □ 쌈장 2~3큰술 | |

DIRECTIONS

1. 볼에 밥, 참기름, 소금, 통깨를 넣어 섞고 한입 크기로 작게 빚는다.

2. 꽃상추를 세로로 반으로 갈라 밥 주위로 동그랗게 말아 주거나, 접시 위에 꽃상추를 얹고 **1**의 빚어 놓은 밥을 올린다.

3. 고등어의 가시를 손으로 모두 떼고 살만 먹기 좋은 크기로 잘라서 청주를 뿌려 5분간 재운 후 중불로 달군 팬에 식용유를 두르고 노릇하게 굽는다.

4. **2**의 밥에 편으로 썬 마늘을 얹고 고등어와 쌈장, 다진 고추를 얹어 완성한다.

    *tip* 취향대로 쌈을 싸 먹을 수 있도록 고등어와 편으로 썬 마늘, 쌈장, 다진 고추 등은 밥에 올리지 않고 따로 준비해도 좋다.

 NOTE

* 고등어 대신 연어, 대구, 참치 등의 다른 생선을 사용하거나, 여러 생선을 섞어 사용하면 더욱 다양한 쌈밥 요리를 즐길 수 있다.
* 고등어는 요리한지 시간이 오래돼 식으면 비린내가 많이 나므로 만들고 나서 빠른 시간 안에 먹는 것이 가장 맛있다.

# 아이들도 좋아하는 꽁치 라이스볼

🍲 분량 : 2인분
⏰ 조리시간 : 50분
🎚 난이도 : 중급

"비린 맛이 나지 않아 아이들이 좋아하는 메뉴예요. 꽁치 주먹밥에 치즈를 넣고 빵가루를 묻혀 바삭하게 지져내면 생선을 좋아하지 않는 아이들에게도 인기만점이랍니다."

| 재료 |

□ 꽁치 1마리
□ 식용유 조금(볶음용)
□ 식용유 조금(튀김용)
□ 토마토 케첩 조금

| 꽁치 양념 |

□ 양파 1/4개(다지기)
□ 다진 마늘 1큰술

□ 청주 1작은술
□ 소금 1꼬집
□ 후춧가루 조금

| 밥 양념 |

□ 밥 2공기
□ 파마산치즈가루 3큰술
□ 후춧가루 조금
□ 다진 파슬리 1큰술

□ 당근 2cm 1토막(다지기)
□ 전분 2큰술
□ 달걀 1개
□ 슬라이스치즈 2장

| 튀김옷 |

□ 빵가루 1/2컵(125ml)
□ 달걀 2개

1. 내장을 제거한 꽁치는 굽거나 쪄서 손으로 살만 바른다.

2. 달군 팬에 식용유를 두르고 다진 양파를 투명해지도록 볶은 후 다진 마늘을 넣어 1분간 더 볶는다.

3. 꽁치살을 넣고 2분간 볶다가 청주를 넣어 청주가 졸아들면 소금, 후춧가루를 뿌려 밑간을 한 후 불을 끈다.

4. 볼에 밥 양념 재료를 넣고 섞는다.

5. 밥을 한입 크기로 덜어내 동그랗게 모양낸 후 가운데를 오목하게 만들어 3의 꽁치 1/2큰술, 슬라이스 치즈를 작게 잘라 얹은 후 동그랗게 만든다.

   tip 밥을 뭉칠 때 손에 물을 묻히면 밥풀이 붙지 않고 깔끔하게 뭉쳐지며 밥을 꾹꾹 뭉쳐줘야 중간에 밥풀이 흐트러지지 않는다.

6. 만들어 놓은 5의 라이스 볼을 달걀물에 담근 뒤 빵가루에 둥글린다.

7. 달군 팬에 식용유를 충분히 두르고 라이스 볼을 둥글려 가며 튀기듯이 구워낸 후 따뜻할 때 토마토 케첩을 뿌려 완성한다.

3

5

7

# 손으로 돌돌 말은 굴비 데마끼

🍲 분량 : 2인분
⏰ 조리시간 : 30분
🎋 난이도 : 중급

" 손으로 만드는 뜻을 가진 일본말 데마끼는 좋아하는 재료를 첨가하면 다양
하게 변형이 가능한 간단 김밥이에요. 굴비 살을 넣어 담백하고, 김의 바
삭한 식감이 좋은 메뉴랍니다. "

INGREDIENTS

| 재료 |
□ 김 2장
□ 오이 1/4개(얇게 슬라이스)
□ 소금 1/4작은술(오이용)
□ 달걀 1개
□ 굴비 1마리
□ 소금 1꼬집(굴비용)
□ 통깨 1작은술

□ 쪽파 조금(장식용)

| 밥양념 |
□ 밥 1공기
□ 소금 1/2작은술(양념용)
□ 참깨 1/4작은술
□ 참기름 1/2작은술

DIRECTIONS

1. 김은 4등분으로 자르고 오이는 소금 1꼬집을 뿌려 5분간 절인 후 물에 헹구고 물기를 짠다.

2. 달군 팬에 식용유를 두르고 달걀을 풀어 가늘게 부친 후 채 썬다.

3. 볼에 밥, 2의 달걀, 1의 오이, 소금 1/2작은술, 참기름을 넣고 섞는다.

4. 달군 팬에 식용유를 두르고 굴비를 얹어 익힌 후 살만 발라서 볼에 담고 소금 1꼬집을 넣어 간한다.

5. 4등분으로 자른 김 위에 밥을 얹어 고깔 모양으로 만 후 굴비 살, 통깨와 다진 쪽파를 얹어 완성한다.

Tip 굴비 대신 다른 재료를 준비해 각자 취향대로 말아서 먹도록 해도 좋다.

1

3

5

# 가시가 사라진 굴비살 비빔밥

- 🍲 분량 : 2인분
- ⏰ 조리시간 : 20분
- ♨ 난이도 : 중급

"담백하고 깔끔한 맛의 굴비살 비빔밥. 가시를 발라내는 번거로움 없이 맛있는 굴비를 더 맛있게 먹는 방법이에요."

| 재료 |
- 밥 2공기
- 굴비 1마리
- 당근 4cm 1토막(채썰기)
- 애호박 1/4개 (채썰기)
- 양파 1/2개 (채썰기)
- 오이 1/2개 (채썰기)
- 달걀 2개

- 식용유 조금(구이용)

| 고추장 양념 |
- 꿀 1/4작은술
- 고추장 3큰술
- 참기름 1큰술
- 통깨 1작은술

DIRECTIONS

1. 재료를 알맞게 손질해 준비한다.

2. 달군 팬에 식용유를 두르고 굴비를 구워 손으로 살만 바른다.

3. 달걀은 노른자와 흰자를 따로 황백지단을 부쳐서 곱게 채 썬다.

   tip 취향에 따라 황백지단을 부치지 않고, 달걀 프라이를 얹어도 좋다.

4. 팬에 식용유를 두르고 채썬 당근, 호박, 양파를 볶는다.

5. 고추장 양념 재료를 섞어 양념을 만든다.

6. 밥 위에 볶은 야채와 오이, 굴비살, 황백지단을 예쁘게 얹고 고추장을 따로 내 완성한다.

NOTE

굴비는 조기를 말린 것으로 비타민 A가 풍부해 피부에도 좋고 야맹증 예방 효과도 있다. 단백질은 풍부하지만 비교적 섬유소는 부족하기 때문에 야채를 곁들여 부족한 섬유소를 보충해 주면 영양면으로도 균형 잡힌 식사를 할 수 있다.

# 거부할 수 없는 맛 오징어 덮밥

분량 : 2인분
조리시간 : 30분
난이도 : 초급

"오징어 덮밥은 요리초보도 만들기 쉬운 간단한 요리예요. 그래서 성공만 하면 그 맛은 보장되는 메뉴지요. 매콤한 양념에 볶은 오징어의 쫄깃한 식감은 거부하기 힘든 맛이에요."

| 재료 | 덮밥 양념 | 장식 |
|---|---|---|
| □ 오징어 2마리 | □ 고추장 2큰술 | □ 홍고추 1/2개(어슷썰기) |
| □ 대파 5cm 2대 | □ 고춧가루 2큰술 | □ 대파 조금(어슷썰기) |
| □ 양배추 50g(1줌) | □ 청주 1큰술 | □ 통깨 조금 |
| □ 양파 1/2개(채썰기) | □ 간장 1큰술 | |
| □ 청양고추 2개(어슷썰기) | □ 다진마늘 1큰술 | |
| □ 참기름 조금 | □ 꿀 1작은술 | |
| □ 식용유 조금(볶음용) | | |

DIRECTIONS

1. 볼에 덮밥 양념 재료를 넣고 섞는다.

2. 대파와 양배추는 5cm 길이로 채썬다. 오징어는 껍질을 벗겨
   채썬다.

   tip 청양고추가 너무 매우면 풋고추를 사용해도 좋고 오징어는 손질된 냉동
   오징어로 조리해도 좋다.

3. 달군 팬에 식용유를 두르고 대파, 양파, 양배추, 청양고추를
   넣고 볶은 후 오징어를 넣고 겉이 희게 익도록 볶는다.

4. 오징어가 80% 정도 익으면 덮밥 양념을 넣어 2~3분간 재빨
   리 볶고 불을 끈 후 참기름과 통깨를 뿌려 향을 낸 후 밥 위에
   얹어 완성한다.

   tip 오징어는 오래 볶으면 질겨지고 맛이 없어지니 오징어가 익으면 바로 불
   을 끈다.

   tip 덮밥 양념이 들어가면 야채에서 물이 나오면서 금방 숨이 줄어드니. 덮
   밥 양념을 넣고 나선 재빨리 볶아낸다.

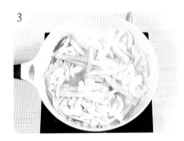

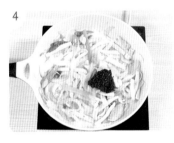

NOTE

싱싱한 오징어는 껍질이 잘 벗겨져 맨손으로도 쉽게 벗겨지는 편이다. 만약
맨 손으로 벗기기 힘들다면 껍질 부분에 얕은 칼집을 내고 키친타월로 껍
질을 잡고 벗기면 미끄러지지 않고 더욱 쉽게 오징어 껍질을 벗길 수 있다.

# 동태전의 변신! 동태 커틀릿 샌드위치

- 분량 : 2인분
- 조리시간 : 30분
- 난이도 : 초급

"전감으로 나온 동태에 빵가루만 입혀 구워도 멋진 양식 요리를 만들 수 있어요. 빵과 야채만 있으면 준비 끝이랍니다."

| 재료 |

- 전감 동태 4∼6조각
- 소금 1꼬집
- 후춧가루 조금
- 호밀빵 2∼4쪽
- 밀가루 2큰술
- 달걀 1개
- 빵가루 2큰술
- 식용유 조금(부침용)
- 크림치즈 2큰술
- 래디치오 2장
- 양상추 2장
- 마요네즈 2큰술
  (또는 허니머스터드)

DIRECTIONS

1. 동태는 해동해 키친타월로 물기를 제거한 후 소금, 후춧가루를 뿌려 밑간한다.

   *tip* 전감으로 사용되는 다른 생선을 사용해도 되고 해동할 땐 전자레인지를 이용해도 좋다.

2. 동태의 앞뒤로 밀가루를 입히고 여분의 밀가루는 털어낸다. 달걀을 풀어 달걀물에 담그고, 다시 빵가루를 입힌다.

   *tip* 빵가루를 입히지 않고, 바로 팬에 구우면 더욱 간편하게 만들 수 있다.

3. 달군 팬에 식용유를 두르고 동태를 얹어 노릇하게 굽는다.

4. 호밀빵 위에 크림치즈를 바르고 래디치오와 양상추를 올린 후 동태를 올린다. 소금, 후춧가루를 뿌려 밑간을 하고 마요네즈나 허니머스터드 소스를 뿌려 완성한다.

   *tip* 래디치오 대신 청상추를 사용해도 되고 오이를 올려도 좋다.

   *tip* 호밀빵 대신 식빵이나 바게트 등 좋아하는 빵을 준비해도 된다.

2

3

4

 NOTE

전감으로 나온 동태는 무게(g)에 관계없이 만들려는 샌드위치의 숫자만큼 임의로 준비해도 된다. 샌드위치 한 개당 동태 2∼3개 조각을 준비하면 적당하다.

# 장어 덮밥보다 동태 간장구이 덮밥

🍲 분량 : 2인분

⏰ 조리시간 : 30분

🪮 난이도 : 중급

"도시락으로도 손색없는 맛있는 밥도둑 동태 간장구이 덮밥이에요. 깔끔한 맛의 동태에 짭짤한 양념을 더하면 장어 덮밥 부럽지 않죠."

## INGREDIENTS

| 재료 | 간장 양념 | |
|------|-----------|---|
| □ 밥 2공기 | □ 물 1/2컵(125ml) | □ 대파 흰 부분 1줄기 |
| □ 전감 동태 6조각 | □ 간장 1/2컵(125ml) | □ 마늘 2쪽 |
| □ 청주 1큰술 | □ 청주 1/4컵(60ml) | □ 통후추 5알 |
| □ 다진 쪽파 조금(고명용) | □ 꿀 3큰술 | |
| □ 통깨 조금(고명용) | □ 양파 1/4개 | |
| □ 식용유 조금(부침용) | | |

## DIRECTIONS

1. 동태는 해동해 키친타월로 물기를 제거한 후 청주를 뿌려 10분간 재운다.

   *tip* 전자레인지에 해동하거나 실온에서 서서히 해동한다.

2. 냄비에 간장 양념 재료를 넣고 끓이다가 끓기 시작하면 불을 줄여 10분 정도 걸쭉해지도록 조린 후 체를 이용해 간장만 내린다.

3. 달군 팬에 식용유를 두르고 동태를 얹어 앞뒤로 1분씩 구운 후 간장 양념을 끼얹으며 맛이 배도록 한 후 한 면당 2~3분간 졸인다.

4. 밥 위에 구운 동태를 얹고 다진 쪽파와 통깨를 뿌려 완성한다.

## NOTE

전감 동태 대신 전감으로 나온 다른 생선(대구, 홍메기살)을 이용해도 좋다.
같은 간장 양념을 이용해, 고등어나, 장어, 연어나 닭고기를 졸여도 맛있다.

# 생선을 꼬치에, 피시 케밥

- 분량 : 2인분
- 조리시간 : 40분
- 난이도 : 중급

"케밥은 중동의 꼬치구이이죠. 생선과 야채로 만든 피시 케밥은 칼로리가 낮고 담백한 맛이 매력 포인트예요. 토르티야, 혹은 난과 곁들이면 간단한 한끼 식사가 돼 아주 매력적인 메뉴랍니다."

| 재료 | □ 올리브유 1작은술 | □ 물 150ml |
|---|---|---|
| □ 연어 200g | □ 토르티야 4~5장 | □ 식초 1큰술 |
| □ 대구 200g | □ 식용유 적당량(볶음용) | □ 흑설탕 1큰술 |
| □ 청피망 1개 | | □ 우스터 소스 1큰술(생략 가능) |
| □ 홍피망 1개 | 바비큐 소스 | □ 디종 머스터드 1큰술 |
| □ 소금 1/4작은술 | □ 양파 1/2개(다지기) | □ 토마토케첩 2~3큰술 |
| □ 후춧가루 조금 | □ 다진 마늘 1큰술 | □ 말린 타임 1꼬집 |

DIRECTIONS

1. 연어와 대구는 한입 크기로 깍둑썰기하고, 피망은 연어와 대구 살보다 작게 썬다.

   tip 생선 대신 닭고기나 소고기를 사용해도 좋다.

2. 볼에 연어, 대구, 피망을 넣고 소금, 후춧가루를 뿌리고 섞은 후 올리브유를 골고루 뿌려 20분간 재운다.

3. 냄비에 식용유를 두르고 다진 양파와 마늘을 넣고 볶다가 양파가 투명해지면 나머지 바비큐 소스 재료를 넣고 걸쭉해지도록 끓인 후 불을 끈다.

   tip 바비큐 소스용 마늘은 찧은 것보다 즉석에서 칼로 다져 사용하는 것이 더 좋다.

4. 꼬치에 연어와 대구, 피망을 번갈아 가며 끼운 후, 달군 팬에 식용유를 두르고 잘 익도록 구워 바비큐 소스, 토리티야와 함께 곁들여 완성한다.

   tip 난 대신 빵을 곁들여도 좋다.

NOTE

케밥은 중세 페르시아 군인들이 칼에 고기를 끼워 불에 구워 먹던 것에서 유래됐다고 한다. 양고기, 소고기, 닭고기, 돼지고기, 해산물 등 여러 가지 재료로 케밥을 만들 수 있다. 케밥만 준비해 완성하기도 하지만, 중동 지방의 플랫 브레드인 난과 함께 곁들이기도 한다.

# 부드러운 훈제연어 캘리포니아롤

- 분량 : 2인분
- 조리시간 : 40분
- 난이도 : 중급

"흔한 김밥 대신 조금 색다르게 즐기는 캘리포니아롤이에요. 심심하고 밍밍한 맛의 아보카도는 다른 재료와 어울리면 근사한 맛을 선사한답니다. 크림같이 부드러운 아보카도와 훈제연어가 환상궁합을 이룬 캘리포니아롤을 만나보세요."

| 초밥 | 캘리포니아 롤 | 장식 |
|---|---|---|
| ▢ 밥 1과1/2공기 | ▢ 식용유 조금 | ▢ 양파 1/4개 |
| ▢ 레몬즙 1작은술 | ▢ 김 2장 | ▢ 마요네즈 2큰술 |
| ▢ 꿀 1/4작은술 | ▢ 김밥용 단무지 2줄 | ▢ 날치알 4큰술 |
| ▢ 소금 1/4작은술 | ▢ 아보카도 1/2개 | ▢ 다진 쪽파 조금 |
| | ▢ 크래미 6개 | |
| | ▢ 슬라이스 훈제연어 6~8장 | |

DIRECTIONS

1. 크래미는 손으로 가늘게 찢고, 아보카도는 단무지 굵기로 채 썬다. 양파는 가늘게 채친다.

    아보카도 손질법은 26쪽을 참고한다.

2. 볼에 밥 양념 재료를 넣어 밥을 양념하고, 김발에 랩을 씌우고 식용유를 조금 바른 후 밥을 김 크기만하게 펴서 올리고 김 1 장을 얹는다.

3. 김 위에 단무지, 아보카도, 크래미를 올린 후 밥이 풀어지지 않게 랩을 풀어가면서 돌돌 말고 랩을 제거한다.

4. 다시 랩 위에 훈제연어를 얹은 후 방금 전 만 김밥을 올려 다시 한번 말고 적당한 크기로 자른 후 위에 가늘게 채친 양파를 얹 고 마요네즈와 다진 쪽파를 뿌려 완성한다.

    날치알이 없으면 생략해도 된다.

# 밥 위에 흩뿌린 훈제연어 지라시즈시

🍲 분량 : 2인분
⏰ 조리시간 : 50분
🎏 난이도 : 중급

"간단하면서도 맛있게 즐길 수 있는 훈제연어 지라시즈시예요. 맛도 좋고 모양도 좋아 손님 접대 음식으로도 손색없답니다. 취향에 맞게 재료를 선택해서 만들 수 있어 여러 가지로 응용하기도 좋아요."

| 초밥 양념 | | 간장 2큰술 | 슬라이스 훈제연어 5장 |
|---|---|---|---|
| ▢ 밥 2공기 | | ▢ 청주 1큰술 | |
| ▢ 레모즙 1과1/2큰술 | | ▢ 꿀 1/4작은술 | 장식 |
| ▢ 소금 1작은술 | | | ▢ 김 1장 |
| ▢ 꿀 1/4작은술 | | 지라시즈시 | ▢ 달걀 4개 |
| | | ▢ 당근 1/2개(60g) | ▢ 홍고추 1/2개 |
| 우엉 양념 | | ▢ 오이 1/2개(60g) | ▢ 다진 쪽파 조금 |
| ▢ 우엉 60g(5cm, 5~6토막) | | ▢ 소금 1/2작은술 | ▢ 검은깨 조금 |

✦✦
✦ DIRECTIONS

1. 훈제연어와 오이, 우엉, 홍고추는 가늘게 채썬다. 김은 구워서 5cm 길이로 가늘게 채썬다.

2. 달걀은 얇게 지단을 부쳐 가늘게 채썰고, 당근은 소금을 넣은 끓는 물에 1분간 삶아 찬물에 헹군다.

   *tip* 지단은 완전히 식힌 후 썰어야 부서지지 않고 곱게 썰린다.

3. 채썬 오이에 소금을 뿌려 10분간 재워 둔 후 물기를 짠다.

4. 채썬 우엉은 우엉 양념 재료와 함께 팬에 넣어 색이 나도록 조린다.

   *tip* 김밥용 조림 우엉이나, 단무지를 가늘게 채쳐서 넣으면 보다 손쉽게 만들 수 있다.

5. 볼에 초밥 양념 재료를 넣어 양념하고 2의 당근, 3의 오이, 4의 우엉을 넣어 섞는다.

6. 김을 구워 밥 위에 부숴 얹고 채썬 훈제연어와 달걀 지단을 위에 고르게 뿌려 완성한다.

   *tip* 홍고추, 다진 쪽파, 검은 깨는 생략해도 상관 없다.

🥄🥛 N O T E

시라시즈시(ちらしずし)는 초밥의 일종으로 생선, 달걀 지단, 양념한 채소 등의 고명을 얹은 초밥이다. 취향에 맞게 재료를 가감하여 다양하게 만들어 먹을 수 있다.

# 소풍 가고 싶은 날엔 참치 김치 주먹밥

- 분량 : 2인분
- 조리시간 : 30분
- 난이도 : 중급

"참치를 넣고 만든 간단한 볶음밥을 주먹밥으로 만들면 소풍 도시락으로 손색없어요. 꼬치를 꽂으면 손으로 하나씩 들고 먹기도 간편한 도시락을 만들 수 있어요."

INGREDIENTS

| 재료 |

- 고추기름 조금
- 다진 김치 2줌(1/2컵)
- 참치 100g
- 밥 2공기
- 참기름 1/2작은술

- 참깨 1/4작은술
- 달걀 1개

DIRECTIONS

1. 달군 팬에 고추기름을 두르고 다진 김치를 2~3분간 볶다가 기름기를 뺀 후 잘게 으깬 참치를 넣고 1분간 더 볶는다.

   *tip* 고추기름은 매콤한 맛을 더하기 위한 것이므로 일반 식용유로 대체해도 된다.

2. 밥을 넣고 2분 정도 볶은 후 불을 끄고 참기름, 참깨를 넣는다.

   *tip* 밥이 너무 고슬거리면 뭉치기가 쉽지 않으므로 살짝 질게 볶는다.

3. 달걀은 흰자와 노른자를 분리해 황백지단을 부쳐 길죽하게 자른다.

4. 볶음밥을 동그랗게 모양내 뭉친 후 황백 지단을 십자(+) 모양으로 접어서 밥에 말아준다.

NOTE

볶음밥에 지단을 두르고 이쑤시개나 꼬치를 꽂아주면 지단이 풀리지 않아 손으로 들고 먹기도 좋다.

# 밥이 더 맛있어지는 멸치 후리가케

분량 : 2인분

조리시간 : 20분

난이도 : 초급

"바삭바삭한 맛의 후리가케만 있으면 입맛 없을 때 다른 반찬 없이 맛있게 밥을 먹을 수 있어요. 주먹밥을 만들 때 넣어주면 더욱 맛있게 맛을 낼 수 있어, 두루 쓰임이 좋은 녀석입니다."

| 재료 |

- 식용유 2큰술(볶음용)
- 마늘 1쪽(편으로 썰기)
- 잔멸치 1컵(50g)
- 김 2장
- 통깨 1큰술

1. 김은 살짝 구워서 손으로 잘게 부수고 멸치는 체로 받쳐서 지 저분한 불순물들을 털어낸다.

2. 달군 팬에 식용유를 조금 두르고 마늘 편을 넣어 기름에 향이 배도록 약한 불에서 2분간 볶은 후 마늘 편을 빼낸다.

3. 멸치를 2의 팬에 넣고 멸치의 수분이 날아가도록 5~7분간 볶 는다.

4. 김을 넣고 2분간 볶다가 통깨를 넣어 고루 섞어 준 후 불을 끈다.

 통깨를 넣을 때 설탕 1/2작은술을 넣어 주면 취향껏 달착지근한 맛도 가 미할 수 있다.

1

2

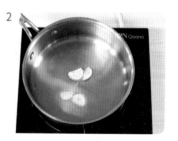

4

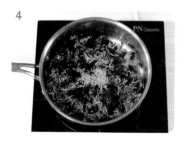

NOTE

후리가케는 일본 다이쇼 시대에 칼슘을 보충하기 위해 생선뼈를 밥 위에 뿌려 먹던 것에서 시작되었다. 맛있게 섭취할 수 있도록 조미료나 김, 깨 등을 같이 넣었는데 주로 약용으로 먹었던 것이 상품화되었다. 일본어로 '뿌려 먹는다'라는 뜻에서 이름 붙여졌는 데, 이름 그대로 밥이나 죽 등의 음식 위에 뿌려먹는다. 생선을 말려 빻은 가루에 김, 소금, 참깨 등을 섞어서 만든다.

# 일식집에서 먹던 그 맛 참치회 비빔밥

🍲 분량 : 2인분

⏰ 조리시간 : 20분

🎹 난이도 : 초급

"요새는 마트의 냉동 생선 코너에서 덮밥용 참치를 쉽게 구할 수 있어요. 덮밥용 냉동 참치를 이용해 간단한 참치회 비빔밥을 집에서 직접 만들어 봅시다."

## INGREDIENTS

| 재료 |

- 밥 2공기
- 덮밥용 냉동 참치 100g
- 당근 4cm 1토막
- 양배추 잎 1상
- 오이 1/4개
- 깻잎 4장

- 날치알 2큰술
- 참기름 2작은술

| 양념장 |

- 고추장 2큰술
- 레몬즙 1큰술
- 꿀 1/4 작은술

- 매실액 1작은술
  (생략 가능)
- 통깨 1/2작은술

## DIRECTIONS

1. 양념장을 만들어 둔다.

2. 냉동 참치는 미지근한 물에 3분간 담근 후 키친타월로 물기를 제거한다.

    덮밥용 참치의 포장지에 해동방법이 나와 있으니, 참고하여 해동한다.

3. 당근, 양배추 잎, 오이, 깻잎은 가늘게 채썬다.

4. 대접에 밥을 담고 해동한 참치와 손질한 채소들을 가지런히 얹고, 날치알을 올린 후 참기름을 두르고 만들어 둔 양념장을 얹어 비벼 먹는다.

1

2

# 색다른 피시 버거, 참치버거

(Tuna Burger)

🍲 분량 : 2인분

⏰ 조리시간 : 30분

🎚 난이도 : 중급

" 비린맛이 적고 담백한 맛의 참치를 버거로 만들면 일반 피시 버거와는 다른 색다른 버거를 맛볼 수 있어요. 고추냉이가 들어간 허니 머스터드 소스로 매콤한 맛의 색다른 버거입니다. "

## INGREDIENTS

| 재료 |
- 냉동 참치 220g
- 다진 마늘 1큰술
- 쪽파 2줄기(다지기)
- 후춧가루 조금
- 간장 1큰술
- 찹쌀가루 4큰술

- 달걀 1개
- 빵가루 1~3큰술
- 검은깨 1큰술
- 식용유 조금
- 잉글리시 머핀 2개
- 양상추 2장
  (또는 원하는 샐러드야채)

- 얇게 썬 오이 8조각
- 얇게 썬 양파 2조각

| 소스 |
- 허니 머스터드 4큰술
- 고추냉이 1/2작은술

## DIRECTIONS

1. 냉동 참치는 미지근한 물에 5~10분간 담근 후 키친타월로 물기를 제거하고 큼직하게 썰어 푸드 프로세서에 넣어 덩어리지게 갈아서 볼에 담는다.

2. 참치에 다진 마늘, 다진 쪽파, 후춧가루, 간장, 찹쌀가루를 넣고 고루 섞는다.

   tip 찧은 마늘은 독한 맛이 나니 통마늘을 바로 다져서 사용한다.

3. 넓적한 그릇에 촉촉한 빵가루와 검은깨를 고루 섞고, 3을 빚어 동그랗게 모양낸 후 빵가루를 묻힌다.

   tip 반죽이 너무 질어서 패티를 만들이 힘들다면 빵가루를 조금씩 넣어가며 질기를 조절한다.

4. 달군 팬에 식용유를 두르고 빵가루를 입힌 참치 패티를 한 면당 2분씩 익혀낸다.

5. 잉글리시 머핀은 가운데 부분을 갈라 2등분 하고 그 위에 참치 패티, 양상추와 오이, 양파를 올린다.

6. 소스를 만든 후 야채 위에 뿌리고 나머지 빵으로 덮으면 참치 버거 완성이다.

3

4
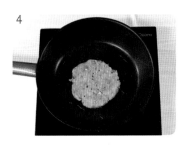

5

NOTE

* 꼭 버거로 만들지 않고 작게 빚어 동그랑땡으로 부쳐 먹어도 맛있다.
* 고추냉이 맛이 거슬린다면 빼고 허니 머스터드만 발라도 된다.
* 잉글리시 머핀 대신 햄버거 빵이나 식빵을 이용해도 되고, 크기를 조절해 다른 빵과 같이 먹어도 좋다.

# 바삭한 일본식 튀김, 생선 가라아게

🍲 분량 : 2인분

⏰ 조리시간 : 30분

🎏 난이도 : 중급

"주로 닭고기로 만들어 먹었던 가라아게. 흰살 생선으로 만들면 좀 더 가볍고 부드러운 식감으로 가라아게를 먹을 수 있어요. 간단하게 만들 수 있는 일본식 생선튀김, 간장 소스와 곁들여 먹어보아요."

| 재료 | | |
|---|---|---|
| 흰살 생선 500g | 달걀 1개 | 물 2큰술 |
| 소금 1/2작은술 | 녹말가루 4큰술 | 꿀 1큰술 |
| 후춧가루 조금 | 튀김용 식용유 적당량 | 레몬즙 1작은술(생략 가능) |
| 청주 1큰술 | | 참기름 1작은술 |
| 생강가루 1작은술 | 소스 | 땅콩 1큰술(다지기) |
| 다진 마늘 1작은술 | 간장 4큰술 | 쪽파 1줄기(다지기) |
| | 청주 2큰술 | |

DIRECTIONS

1. 생선을 한입 크기로 잘라 볼에 담고 소금, 후춧가루로 간한 후 청주, 생강가루, 마늘을 넣어 고루 섞고 달걀과 녹말가루를 넣어 버무려 10분간 둔다.

   Tip 대구나 동태, 연어나 틸라피아 같은 생선을 이용하면 된다.

2. 냄비에 기름이 5~6cm 깊이가 되도록 담고, 기름 온도가 180℃가 되도록 가열한 후 생선을 넣어 바삭하게 튀긴다. 튀긴 생선은 체에 받쳐 기름기를 뺀다.

   Tip 튀김옷을 기름에 조금 떨어드렸을 때 기름 중간까지 가라 앉았다가 바로 떠오르면 튀기기 적당한 온도인 180℃이다.

3. 분량의 재료로 소스를 만든 후 튀김 위에 고루 끼얹거나 곁드는 등 취향껏 찍어 먹도록 한다.

NOTE

가라아게는 재료에 밑간을 하거나 재료에 바로 전분이나 밀가루를 묻혀 튀기는 것을 말한다. 재료로는 해산물, 가금류, 채소 등을 다양하게 이용한다.

# 오늘은 뉴요커처럼, 피시 타코
### (Fish Taco)

🍲 분량 : 2인분

⏰ 조리시간 : 40분

〰️ 난이도 : 중급

"시판 토르티아에 상큼한 토마토 살사를 곁들인 생선 타코. 만들기도 쉽지만, 칼로리가 부담스럽지 않아 간편하게 즐기기 좋아요."

| 재료 | 야채 | 토마토 살사 |
|------|------|-------------|
| □ 토르티야(20cm) 4장 | □ 양파 1/4개(채썰기) | □ 작은 토마토 1개 |
| □ 흰살 생선 300g | □ 양상추 1장(채썰기) | □ 양파 1/4개(다지기) |
| (길쭉하게 썰기) | □ 사워크림 조금 | □ 청양고추 1개(다지기) |
| □ 소금 1/4작은술(생선용) | (또는 플레인 요거트나 | □ 레몬즙 1큰술 |
| □ 후춧가루 조금 | 마요네즈) | □ 다진 파슬리 2큰술 |
| □ 식용유 조금(구이용) | | □ 소금 1/4작은술 |

DIRECTIONS

1. 토마토를 1cm 크기로 깍둑 썰어 볼에 담고 나머지 토마토 살사 재료와 섞어 버부린 후 그릇에 담는다.

2. 잘라둔 생선은 물기를 제거하고 소금, 후춧가루로 간한 후 달군 팬에 식용유를 두르고 노릇하게 구워 야채와 **1**의 토마토 살사, 사워크림을 함께 낸 후 토르티야에 싸 먹는다.

tip 전감으로 나온 동태, 대구 등을 이용하면 손쉽게 만들 수 있다

🥄🥣 NOTE

타코(Taco)는 얇고 동그랗게 만든 토르티아에 여러 가지 재료를 넣어서 먹는 요리이다. 살사(Salsa)는 스페인어로 소스라는 뜻으로 흔히 쓰는 살사 소스라는 말은 소스라는 같은 의미의 단어를 반복한 것이 된다. 여러 가지 재료로 굉장히 다양하게 만드는 데 타코에 곁들여도 맛있게 즐길 수 있다. 미국의 타코는 나초처럼 바삭하게 튀기거나 구운 토르티아를 이용해 만들기도 한다.

# 바비큐 분위기가 물씬 매콤 새우 꼬치구이

- 분량 : 6개 분량
- 조리시간 : 20분
- 난이도 : 초급

"야채와 같이 꼬치에 끼워 매운 소스를 발라 굽는 꼬치구이. 손으로 잡고 먹기도 편하고 맛도 좋아 간식으로도 술안주로도, 또 접대요리로도 손색이 없어요. 캠핑 가서 구워먹는 바비큐 분위기도 난답니다."

| 재료 |

- 대하(큰 새우) 24마리
  (머리와 껍질, 내장 제거)
- 애호박, 당근, 가지 슬라이스
  각각 2장
  (한 가지 야채만으로 해도 됨)
- 식용유 조금

| 양념 |

- 올리브유 4큰술
- 고운 고춧가루 1작은술
- 말린 바질 1/2작은술
- 소금 1/4작은술
- 후춧가루 조금

DIRECTIONS

1. 길고 가늘게 자른 야채 슬라이스와 손질한 새우를 번갈아 가면서 꼬치에 끼운다.

2. 볼에 올리브유, 고운 고춧가루, 말린 바질, 소금, 후춧가루를 넣고 잘 섞는다.

   *tip* 맵고 고운 고춧가루를 사용하면 좋다.

   *tip* 말린 바질이 없을 땐 허브 솔트를 사용하여 향을 내거나 좋아하는 말린 허브를 사용한다. 없을 땐 빼도 된다.

3. 새우꼬치에 양념을 잘 발라 10분간 재워둔다.

4. 중불로 달군 그릴이나 프라이팬에 솔로 식용유를 바른 후 야채와 새우가 노릇해지도록 구운 후 그릇에 담는다.

   *tip* 다진 홍고추나 풋고추, 다진 파슬리를 뿌리면 더욱 먹음직스럽게 보인다.

NOTE

'몸집이 큰 새우'라는 뜻의 대하는 가을철에 가장 맛이 좋다. 단백질과 무기질이 많이 함유돼 있으며 굽거나 튀겨 껍질째 먹어도 맛이 좋다. 대하로 꼬치구이를 해 먹어도 좋지만 구하기 힘들다면 크기가 큰 타이거새우나 손질해서 파는 냉동 새우를 사용해도 좋다. 크기가 큰 새우로 하는 것이 보기에도 좋다.

# 이탈리아 레스토랑처럼 시푸드 리조또
## (Seafood Risotto)

🍲 분량 : 2인분
⏰ 조리시간 : 1시간 20분
🍴 난이도 : 중급

"이탈리아의 대표적인 쌀요리 리조또를 집에서 만들 수 있어요. 여러 가지 해산물을 넣으면 씹는 맛도 좋고 보기에도 좋은 리조또가 완성되지요. 집에서도 폼나게! 볶음밥 대신 맛 좋은 리조또로 이탈리아에 온 기분을 느껴보세요."

| 재료 |

- □ 작은 오징어 1마리
- □ 새우 6마리
- □ 물 1/4컵(60ml)
- □ 버터 1작은술
- □ 홍합 100g
- □ 물 1/4컵(60ml)

- □ 닭 육수 2컵(500ml)
- □ 식용유 조금
- □ 양파 1/2개(다지기)
- □ 다진 마늘 1큰술
- □ 드라이 화이트와인 1/4컵(60ml)
- □ 토마토 소스 2큰술(또는 케첩)

- □ 쌀 1/2컵(150g)
- □ 다진 파슬리 1큰술
- □ 소금 1꼬집
- □ 후춧가루 조금

1. 오징어는 껍질 벗겨 길이 2cm, 너비 5cm로 자른다.

   tip 오징어나 새우, 홍합 중 원하는 재료만 사용해서 만들어도 좋다. 단, 재료의 양을 원하는 만큼 늘려서 사용한다.

2. 새우는 머리와 껍질을 제거하고 등 부분에 이쑤시개를 찔러 내장을 빼낸다. 달군 팬에 버터를 녹이고 새우 머리와 껍질을 볶다가 물 1/4컵을 넣고 10분간 끓인 후 체에 밭쳐 건더기는 버리고 국물은 닭 육수 1컵을 넣고 섞는다.

   tip 자숙새우를 사용할 경우 껍질을 벗겨 육수를 내는 과정을 생략하고 홍합살을 넣을 때 같이 넣어 섞어 주면 된다.

3. 끓는 물에 소금을 조금 넣고 새우를 넣어 2~3분간 데쳐낸다.

4. 홍합은 껍질을 잘 닦고 수염을 제거한 다음 냄비에 물 1/4컵을 넣고 끓인 후 건져낸다. 장식용 2~3개를 제외한 나머지는 살만 발라둔다. 홍합국물은 면보에 걸러 닭 육수와 섞은 후 따뜻하게 데워놓는다.

5. 달군 팬에 식용유를 두르고 양파와 마늘을 넣고 양파가 투명해지도록 볶는다.

   *tip* 미리 찧어둔 마늘을 사용해도 괜찮지만 통마늘 1~2쪽을 다져서 사용하면 팬에 눌어붙거나 타지 않아 깔끔하게 볶을 수 있다.

6. 5에 오징어를 넣고 2분간 볶다가 화이트 와인을 넣고 와인이 증발할 때까지 볶는다.

   *tip* 단맛이 나지 않는 드라이 화이트 와인이 없다면 동량의 청주를 사용한다.

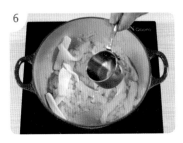

7. 6에 물 2큰술과 토마토 소스를 넣고 5분간 볶은 후 소금, 후춧가루로 간한다.

8. 7에 쌀을 넣고 저어 고루 섞이면 뜨거운 육수를 한 국자 떠서 넣고 쌀이 수분을 모두 흡수할 때까지 볶는다. 같은 과정을 20분간 반복한 후 쌀이 원하는 정도로 익으면 새우와 홍합살을 넣고 잘 섞는다.

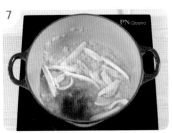

**9.** 접시에 완성된 리조또를 담고 장식용 껍질 홍합과 다진 파슬리를 얹어 서빙한다.

9

🍴🥛 **N O T E**

리소토 또는 리조또(Risotto)라고 불리는 이 요리는 이탈리아의 대표적인 쌀요리이다. 버터를 녹인 후 쌀을 볶다가 육수를 조금씩 부어 익히는 과정을 통해 크림을 넣은 것 같은 식감이 생긴다. 고기나 생선을 이용한 육수도 이용하지만 야채 다시마물을 넣어 만들기도 한다.

리조또를 만들 땐 쌀을 푹 익히지 않고, 가운데 살짝 심이 느껴질 정도로 조리하는데, 이 상태를 알덴테(al dente) 라고 부른다. 아르보리오(Arborio)나 카르나롤리(carnaroli)라고 불리우는 쌀 품종이 리조또를 만들기에 적합하다. 이런 쌀을 구하기 힘들다면 쉽게 구할 수 있는 흰 맵쌀로 만들면 된다.

대부분 리조또엔 기본적으로 버터, 양파가 들어가고, 현재는 파마산 치즈를 첨가하는 경우가 흔하다. 여러 가지 고기나 야채 등의 재료를 넣으면 다양하면서도 취향에 맞는 리조또를 응용하여 만들 수 있다.

# 이국적인 볶음밥 케저리
(Kedgeree)

🍲 분량 : 2인분
⏰ 조리시간 : 30분
🎹 난이도 : 초급

"생선을 넣은 인도풍 볶음밥 케저리는 곁들인 삶은 달걀이 신기하면서도 굉장히 잘 어울리는 맛입니다. 담백하면서도 자극적이지 않아 맛있고 이국적으로 즐길 수 있습니다."

## INGREDIENTS

| 재료 |

- 대구 200g
- 밥 1공기
- 달걀 2개(삶기)
- 식용유 조금(볶음용)
- 양파 1/2개(다지기)
- 카레가루 1큰술

- 넛멕 가루 1꼬집
  (생략 가능)
- 카이엔 페퍼 가루 1꼬집
  (또는 고운 고춧가루)
- 소금 1꼬집
- 후춧가루 조금

- 다진 장식용 파슬리
  (또는 다진 실파 조금)
- 장식용 레몬 웨지

## DIRECTIONS

1. 끓는 물에 대구를 넣어 삶은 후 포크로 살을 부순다.

   *tip* 전감으로 파는 냉동 대구나 동태, 홍메기살을 이용하면 간편하게 만들 수 있다.

2. 달걀을 삶아 1개는 씹기 좋은 크기로 다지고 1개는 웨지 모양으로 4~6등분한다.

3. 달군 팬에 식용유를 두르고 양파가 투명해지도록 볶다가 대구살을 넣어 노릇하게 볶는다.

4. 밥을 넣고 고루 섞은 후 카레가루, 넛멕 가루, 카이엔 페퍼 가루를 넣고 맛을 보며 소금, 후춧가루로 간한다.

5. 2~3분간 볶다가 불을 끈 후 다진 달걀을 넣어 고루 섞고 그릇에 담는다. 달걀과 레몬 웨지로 장식하고 다진 파슬리를 얹어 서빙한다.

NOTE

케저리(Kedgeree)는 kitcherie, kitchari, kidgeree, kitchiri 등으로도 불리는데, 생선살을 부숴 익힌 쌀에 파슬리와 삶은 달걀, 카레 가루, 버터나 크림 등을 넣어 볶은 요리이다. 영국이 인도를 식민지배했을 당시 인도의 요리 khichri가 영국에 들어와서 이 볶음밥이 되었다고 추측한다. 한마디로 영국의 인도풍 볶음밥이다.

# 브런치와
# 디저트

# 환골탈태, 꽁치 크로스티니

- 분량 : 10조각 분량
- 조리시간 : 30분
- 난이도 : 중급

"꽁치를 밥반찬으로만 먹는다는 생각을 버려도 좋을 꽁치 크로스티니예요.
크로스티니는 '작은 토스트'란 뜻으로 그릴이나 팬에 구운 작은 빵 위에
토핑을 올려 먹는 이탈리아의 애피타이저예요. 토핑으로 꽁치 살을 활용하
면 새로운 맛을 느낄 수 있어요."

## INGREDIENTS

| 재료 | 토핑 | |
|---|---|---|
| □ 바게트 슬라이스 10조각 | □ 꽁치 1/2마리 | □ 다진 파슬리 2큰술 |
| □ 식용유 조금(구이용) | □ 새우 100g | □ 파마산치즈 가루 2큰술 |
| □ 올리브유 조금 | □ 빵가루 1~3큰술 | □ 소금 1꼬집 |
| | □ 달걀 1개 | □ 후춧가루 조금 |
| | □ 마늘 2쪽(다지기) | |

## DIRECTIONS

1. 오븐을 180℃로 예열하고 새우를 2cm 크기로 자른다.

2. 달군 팬에 식용유를 두르고 자른 새우를 넣어 80% 정도 구운 후 볼에 담는다.

3. 내장을 제거한 꽁치는 굽거나 쪄서 살만 바른 후 달걀, 마늘, 파슬리, 파마산치즈, 소금, 후춧가루를 넣고 섞는다.

   *tip* 꽁치 대신 문어나 오징어, 새우로 만들어도 좋고, 통조림 참치로 만들어도 좋다.

4. 살짝 뭉쳐질 정도가 되도록 질기를 봐 가며 빵가루를 넣는다.

   *tip* 반죽 질기는 걸쭉한 농도의 부침개 반죽 정도로, 토핑했을 때 빵이 젖지 않을 정도면 된다.

5. 오븐 팬에 슬라이스한 바게트를 얹고 **3**의 토핑을 1~2큰술 얹는다.

6. 올리브유를 빵 위에 조금씩 뿌리고 오븐에서 토핑이 노릇해지도록 15~20분간 구워 완성한다.

   *tip* 레몬 웨지를 곁들여도 좋나.

3

4

6

 N O T E

\* 과일 등의 재료를 아래와 같은 세로로 반달모양 자른 것을 '웨지'라 한다.

\* 바게트류의 빵을 많이 이용하고 토핑은 다양하게 얹어 먹을 수 있다. 상큼한 맛을 원할 땐 레몬즙을 살짝 크로스티니 위에 뿌려 먹어도 좋다.

# 야무지게 든든한 연어 오니기리

- 분량 : 2인분
- 조리시간 : 30분
- 난이도 : 초급

"만들기도 쉽고 깔끔한 맛이 특징인 일본식 주먹밥 오니기리. 구운 연어를 밥 속에 채워 야무지게 모양을 빚으면 든든하게 한끼 식사를 해결할 수 있어요."

| 재료 | 주먹밥 |
|---|---|
| ☐ 연어 100g | ☐ 밥 1과 1/2공기 |
| ☐ 청주 1작은술 | ☐ 소금 2꼬집 |
| ☐ 식용유 조금(구이용) | ☐ 후춧가루 조금 |
| ☐ 소금 1꼬집 | ☐ 참기름 1/2작은술 |
| ☐ 후춧가루 조금 | ☐ 김밥용 김 1장 |

DIRECTIONS

1. 연어는 청주를 뿌려서 10분간 재우고, 밥에 소금과 후춧가루, 참기름을 뿌려 밑간한다. 맛을 보며 입맛에 따라 소금과 후춧 가루의 양을 가감한다.

   *tip* 밥에 후리카케를 넣어도 좋다.

2. 달군 팬에 식용유를 두른 후 연어를 굽고 볼에 담아 잘게 찢어 소금과 후춧가루로 밑간한다.

3. 조리대에 랩을 깔고 밥을 1/4 정도 덜어 동그랗게 깐 후 연어 를 얹고, 다시 밥 1/4 정도를 덜어 연어를 덮는다.

4. 랩의 사방을 모아 잡아 밥을 동그랗게 뭉친 후 삼각형으로 모 양낸다.

   *tip* 랩에 참기름을 살짝 바르면 밥이 랩에 붙지 않고 깔끔하게 쌀 수 있다. 맨손으로 뭉칠 땐 손에 물을 조금 묻히면 밥이 손에 붙지 않고 깔끔하게 쌀 수 있다.

5. 랩을 풀고 김을 잘라 두르고 남은 연어를 오니기리 꼭지에 얹 어 완성한다.

NOTE

오니기리는 일본식 주먹밥의 이름이다. 일본 전국시대에 무사들이 볶은 밥이나 말린 밥을 비상식량으로 가지고 다니던 것을 19세 기에 쌀밥으로 만들게 되었고 2차 세계대전 후 보편화되었다. 오니기리 속에 여러 가지 재료를 넣어 맛을 보완하는데, 대표적인 것으로 닭고기, 쇠고기, 명란, 참치, 연어 등이 있고, 육류뿐만 아니라 매실장아찌, 팥 등을 넣기도 한다. 속재료에 따라 여러 가지 로 응용이 가능하고 크기가 작고 휴대하기 편리해 야외용 한끼 식사로도 무척 좋다.

# 남부럽지 않은 브런치, 브랑다드 케이크

- 분량 : 2인분
- 조리시간 : 40분
- 난이도 : 중급

"감자로 만든 팬케이크에 대구을 넣어주면 그게 바로 브랑다드 케이크가 되지요. 우리나라 감자전과 같지만, 식감은 훨씬 더 부드러워요. 대구가 들어가 영양가도 UP!!"

| 재료 | 다진 쪽파 조금(장식용) | 밀가루 4큰술 |
|---|---|---|
| ▢ 냉동 대구 200g | | |
| ▢ 통마늘 2쪽 | 반죽 | 스크램블 에그 |
| ▢ 월계수잎 2장 | ▢ 생파슬리 조금(생략 가능) | ▢ 달걀 2개 |
| ▢ 대파 5cm 1대 | ▢ 쪽파 1줄기(다지기) | ▢ 우유 2큰술(또는 생크림) |
| ▢ 통후추 3알 | ▢ 소금 1/4작은술 | ▢ 식용유 조금(부침용) |
| ▢ 감자(대) 2개(200g) | ▢ 후춧가루 조금 | ▢ 샐러드야채 한줌 |
| ▢ 소금 1큰술 | ▢ 파프리카파우더 1/4작은술 | |
| ▢ 우유 3큰술 | (생략 가능) | |

1. 냄비에 대구와 대파, 통마늘, 통후추, 월계수 잎을 넣고 약 10~15분간 삶은 후 대구를 건진다.

2. 감자를 깍뚝 썰어 다른 냄비에 넣고 물을 부은 후 소금 1큰술을 넣어 15~20분간 삶는다.

3. 2의 삶은 감자와 1의 대구, 우유를 푸드 프로세서에 넣고 간다.

   *tip* 푸드 프로세서가 없다면 감자는 곱게 으깨고, 대구는 포크로 살을 잘게 찢은 후 섞는다.

4. 3에 다진 쪽파, 파슬리를 넣고 소금, 후춧가루를 뿌려 밑간한다.

5. 달군 팬에 식용유를 두르고 반죽을 적당히 떠서 얹은 후 앞뒤로 노릇하게 굽는다.

   *tip* 질감이 죽처럼 질다면 밀가루를 더해 질기를 조절한 후 팬에 바로 떠서 굽고, 푸드 프로세서에서 갈지 않고 볼에 담아 으깨서 만들 경우 밀가루를 넣지 않고 손으로 모양을 빚어 팬에 굽는다.

6. 볼에 달걀과 우유를 넣어 섞은 후 달군 팬에 식용유를 두르고 덩어리가 지도록 볶아 스크램블 에그를 만든다. 브랑나드 케이크 위에 다진 쪽파를 조금 뿌린 후 스크램블 에그, 샐러드와 함께 낸다.

3

6

7

 NOTE

브랑다드(Brandade)는 대구에 올리브 식용유 등을 넣어 곱게 갈아 섞은 후 빵과 감자와 함께 먹는 프랑스 랑그도크 지방의 겨울 요리이다.

# 부드러운 풍미 훈제연어 타르틴

🍲 분량 : 2인분

⏰ 조리시간 : 20분

🎹 난이도 : 초급

"훈제연어만 있으면 멋진 요리를 뚝딱 만들 수 있어요. 아삭하고 시원한 오이와 레몬의 상큼함이 훈제연어와 아주 잘 어울리는 요리에요. 주말 아침의 늦은 브런치로도 좋고 아이들 간식으로도 그만인 요리랍니다."

| 재료 |

- 양파 1/4개(다지기)
- 오이 1/4개
- 슬라이스 바게트 4쪽
- 크림치즈 2큰술
- 슬라이스 훈제연어 4~8장
- 다진 케이퍼 1큰술(생략 가능)

- 후춧가루 조금
- 레몬즙 조금
- 다진 파슬리 조금

DIRECTIONS

1. 오이는 필러로 껍질을 벗겨 가운데 씨 부분을 숟가락으로 긁어 낸 후 8mm 크기로 다진다. 양파도 오이와 비슷한 크기로 다 져 오이와 함께 잘 섞는다.

2. 슬라이스 바게트에 크림치즈를 바르고 **1**의 다진 양파와 오이 를 얹는다.

   *tip* 식빵이나 다른 종류의 빵을 먹기 좋게 잘라서 사용해도 되고 크림치즈 는 취향껏 양을 가감한다.

3. 훈제연어를 **2**에 얹고 후춧가루와 레몬즙을 살짝 뿌린다.

   *tip* 훈제연어를 다져서 올려도 되고 레몬이 없을 땐 시판하는 레몬즙을 사 용해도 된다.

4. 다진 케이퍼와 다진 파슬리를 뿌려 장식한 후 서빙한다.

NOTE

카나페가 크기가 작은 핑거푸드라면 타르틴(Tartine)은 프랑스의 오픈 샌드 위치로 버터나 잼을 발라먹기도 하고 육류나 과일, 야채 등의 재료를 취향 껏 올려먹는다.

# 고품격 와플, 훈제연어 와플

- 분량 : 2~3인분
- 조리시간 : 40분
- 난이도 : 중급

"디저트로만 먹던 와플의 변신!! 짭조름하고 감칠맛이 나는 훈제연어 와플은 간식으로도, 브런치로도 좋은 바삭한 맛이에요."

**INGREDIENTS**

| 재료 |
- 버터 4큰술(녹이기)
- 따뜻한 우유 1/3컵(80ml)
- 중력분 4큰술
- 소금 1꼬집
- 달걀 흰자 1개분
- 훈제연어 85g
- 쪽파 2줄기(다지기)

| 장식 |
- 다진 쪽파 조금(푸른 부분)
- 사워크림 적당량
  (또는 플레인 요거트)
- 연어알(생략 가능)

**DIRECTIONS**

1. 볼에 녹인 버터 4큰술과 우유, 중력분, 소금을 넣고 부드러워
   지도록 섞는다.

   *tip* 중력분 대신 박력분을 사용해도 되며 반죽이 덩어리져도 상관 없다. 녹
   인 버터 대신 동량의 카놀라유나 포도씨유를 사용해도 된다.

2. 훈제연어를 가늘게 채썰거나 손으로 찢어 다진 쪽파와 함께 반
   죽에 섞는다.

3. 달걀 흰자와 노른자를 분리한 후 다른 볼에 흰자를 넣고 단단
   하게 뿔이 서도록 거품을 낸 후 밀가루 반죽과 거품이 꺼지지
   않도록 부드럽게 섞는다.

4. 와플기를 예열하고 솔로 식용유를 바른 후 반죽을 적당히 떠서
   노릇하게 굽고, 구운 와플 위에 플레인 요거트를 얹고 다진 쪽
   파 2큰술을 뿌려 완성한다.

   *tip* 와플기가 없다면 프라이팬에 팬케이크처럼 구워도 좋다.

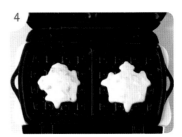

**NOTE**

* 거품 낸 달걀 흰자가 바삭한 식감을 주기 때문에, 귀찮아도 거품을 내서
  사용한다.
* 박력분은 과자나 케이크를 만드는 밀가루로 쫀득한 식감을 주는 글루텐 함
  량이 적어 좀 더 바삭한 맛을 내기 좋다.

# 홈 메이드 카페 러너, 훈제연어 갈레트

🍲 분량 : 갈레트 2개

⏰ 조리시간 : 40분

🎚 난이도 : 중급

"간단한 한끼 식사로 또는 주말의 브런치로 손색없는 갈레트를 훈제연어와 곁들여 보세요. 만들기도 간단해 집에서도 손쉽게 카페 분위기를 연출할 수 있습니다."

| 재료 | 반죽 재료 |
|---|---|
| □ 베이컨 2장 | □ 밀가루 1/4컵(40g) |
| □ 달걀 2개 | □ 메밀가루 1/4컵(40g) |
| □ 방울토마토 6개 | □ 달걀 1개 |
| □ 그뤼에르 치즈가루 1/2컵 | □ 우유 3/4컵(180ml) |
| □ 슬라이스 훈제연어 4~8장 | □ 올리브유 1큰술 |
| □ 식용유 조금(부침용) | □ 소금 1꼬집 |
| □ 다진 파슬리 조금 | |

DIRECTIONS

1. 베이컨은 1cm 폭으로 썰고, 방울토마토는 2등분한다. 그뤼에르 치즈는 강판에 갈아 준비한다(한 줌=1/2컵).

   *tip* 그뤼에르 치즈 대신 에멘탈 치즈. 또는 체다 슬라이스 치즈도 좋다.

2. 볼에 반죽 재료를 넣고 밀가루가 보이지 않도록 잘 섞는다.

3. 달군 팬에 베이컨을 넣고 바삭하고 노릇하게 구운 후 키친타월로 기름을 제거한다.

4. 달군 팬에 식용유를 두르고 2의 반죽을 절반 정도 붓고 살짝 익으면 달걀 1개를 깨서 위에 얹는다.

5. 방울토마토와 치즈를 얹고 소금, 후춧가루를 뿌려 간을 한다. 달걀 노른자가 살짝 익으면 가장자리를 접는다.

6. 훈제 연어를 갈레트 1장당 2~4장씩 얹고 구운 베이컨과 다진 파슬리를 뿌려서 완성한다.

   *tip* 갈레트를 얇게 부칠수록 식감이 좋다.

 NOTE

* 시판 메밀가루에는 대부분 밀가루가 섞여 있기 때문에 100% 메밀가루가 아닌 시판 메밀가루를 사용할 경우 1/2컵만 사용해도 된다. 또는 밀가루 1/2컵만 사용해 훈제연어 크레페를 만들어노 좋나. 밀가루에 날콤한 필링을 재운 건 크레페(crepes)라고 한다.
* 갈레트(Galette)는 납작하고 둥근 모양의 케이크를 총칭하는 프랑스 요리의 이름이다. 메밀가루로 만든 커다란 팬케이크 안에 치즈나 햄, 달걀, 고기, 어류, 소시지 등을 넣어 짭짤하게 즐기기도 하고 사과나 각종 베리류를 넣어 먹기도 한다.

# 아삭아삭 알싸한 훈제연어 오이롤

분량 : 2~3인분
조리시간 : 20분
난이도 : 초급

"알싸한 맛이 나는 무순과 아삭한 식감의 양파는 훈제연어와 잘 어울리는 재료들이에요. 한입에 쏙 들어가는 크기로 만들기도 쉽고, 맛도 훌륭한 훈제연어 오이롤, 간식으로도 술안주로도 좋아요."

**| 재료 |**

- □ 슬라이스 훈제연어 12장
- □ 오이 1개
- □ 무순 조금
- □ 양파 1/4개(가늘게 채썰기)
- □ 마요네즈 3~4큰술
- □ 후춧가루 조금

- □ 레몬즙 2큰술
- □ 날치알 4~5큰술

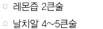

1. 오이는 겉을 굵은 소금으로 문질러 씻은 후 필러로 껍질째 얇고 길게 슬라이스한다. 훈제연어 위에 슬라이스한 오이를 얹고 끝 부분에 마요네즈를 1/4작은술 올린다.

   *tip* 마요네즈는 강낭콩 크기 정도를 얹는다고 생각하면 된다.

   *tip* 마요네즈 대신 사워크림을 사용해도 맛있게 먹을 수 있다.

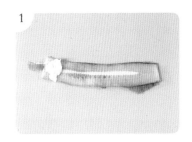

2. 무순과 양파를 마요네즈 위에 얹고 돌돌 말아 접시에 세운다. 후춧가루와 레몬즙을 흩뿌리고 날치알을 위에 올려 완성한다.

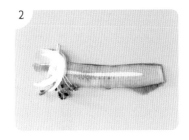

# 달걀말이 같은 오믈렛, 참치 프리타타

- 분량 : 2인분
- 조리시간 : 20분
- 난이도 : 중급

"이탈리아의 오믈렛 프리타타는 브런치로 빵과 함께 먹어도 좋지만, 짭짤한
달걀말이와 같은 맛으로 밥반찬으로 먹기에도 좋아요."

| 재료 |

☐ 달걀 6개
☐ 쪽파 4줄기(다지기)
☐ 다진 생파슬리 2큰술
☐ 통조림 참치 100g
☐ 식용유 조금(볶음용)
☐ 소금 2꼬집

☐ 후춧가루 조금
☐ 양파 1/4개(다지기)

## DIRECTIONS

1. 볼에 달걀을 풀고 다진 쪽파, 파슬리를 넣고 섞는다.

   **tip** 생파슬리를 구하기 힘들다면 말린 파슬리 1/2작은술을 넣거나 생략해도 된다.

2. 참치는 체에 밭쳐 기름을 빼고 포크로 살을 으깨 놓은 뒤 소금 과 후춧가루를 넣어 간을 한다.

3. 달군 팬에 식용유를 두르고 다진 양파가 투명해지도록 볶다가 **1**의 참치를 넣고 고루 섞는다.

4. **1**의 달걀을 **2**의 참치 위에 붓고 앞뒤로 구워 완성한다.

   **tip** 프리타타를 뒤집을 때 찢어질 것 같다면 접시에 덜어서 팬에 뒤집어 놓 으면 편하게 뒤집을 수 있다.

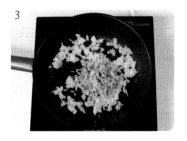

 N O T E

프리타타(Frittat)는 오믈렛이나 키시처럼 달걀을 기본으로 하여 프라이팬에 익 혀내는 이탈리아의 요리이다. 잘게 썬 고기나 야채, 치즈 또는 파스타를 넣고 허브를 듬뿍 넣어 조리한다.

# 즐거운 보물찾기 참치 코코트 에그

🍲 분량 : 2인분

⏰ 조리시간 : 20분

🎏 난이도 : 초급

"오븐으로 굽는 프랑스식 달걀찜인 코코트 에그는 달걀 속에 숨은 재료를 찾아서 빵을 찍어먹는 재미가 있는 메뉴예요."

INGREDIENTS

| 재료 |

□ 슬라이스 바게트 2~4쪽  □ 플레인요거트 2큰술
□ 식용유 조금(코팅용)   □ 다진 쪽파 1작은술
□ 통조림 참치 2큰술   □ 고운 고춧가루 2꼬집
□ 달걀 2개
□ 소금 2꼬집
□ 후춧가루 2꼬집

DIRECTIONS

1. 오븐은 190℃로 예열하고 바게트는 팬에 살짝 굽는다. 참치는 체에 밭쳐 기름기를 뺀다.

2. 오븐 사용이 가능한 작은 도자기 용기 안쪽에 솔로 식용유를 바르고 통조림 참치를 으깨서 담는다.

3. 달걀을 넣고 소금, 후춧가루를 뿌려 밑간한다. 플레인 요거트를 달걀 위에 얹는다.

4. 뜨거운 물을 넣은 다른 큰 오븐 용기에 3을 올리고 중탕하여 190℃로 예열한 오븐에 반숙이 되도록 5~10분간 굽는다. 고운 고춧가루와 다진 쪽파를 뿌려 바게트와 함께 내어 완성한다.

   *tip* 오븐이 없다면 김 오른 찜통에서 5~20분간 반숙으로 쪄낸다.

 N O T E

코코트(cocotte)는 프랑스어로 크기가 작은 개인용 내열자기를 말한다. 반숙으로 익은 달걀에 바게트를 찍어 먹는다.

# 노릇노릇 상큼한 참치소 토마토 구이

- 분량 : 2~4인분
- 조리시간 : 50분
- 난이도 : 중급

"건강에 좋은 토마토를 더욱 맛있게 즐기는 방법. 귀여운 토마토 컵안에 요거트가 들어간 참치소를 채우면 구운 빵과 잘 어울립니다."

| 재료 |

□ 토마토 4개
□ 소금 1꼬집
□ 후춧가루 조금
□ 참치 250g(기름을 빼고 살만 준비)
□ 양파 1/4개(다지기)
□ 오이 1/4개(씨 제거 후 다지기)

□ 마늘 1쪽(다지기)
□ 플레인 요거트 3큰술
□ 다진 파슬리 1큰술
□ 쪽파 1줄기(다지기)
□ 장식용 다진 쪽파 조금

DIRECTIONS

1. 토마토는 꼭지를 칼로 잘라내고 속을 파낸다. 파낸 과육은 체에 밭쳐 물기를 빼 둔다.

2. 키친타월로 토마토 안쪽의 물기를 제거하고 소금을 뿌린 후 키친타월 위에 뒤집어 엎어 30분 동안 물기를 제거한다.

3. 참치는 잘게 으깬 뒤 양파, 오이, 마늘, 요거트, 파슬리, 쪽파, 레몬즙과 잘 섞고, 물기를 뺀 토마토 과육을 잘게 다져 더한 후 소금, 후춧가루로 간한다(또는 재료를 모두 푸드 프로세서에 넣고 곱게 간다).

   tip 미리 찧어둔 마늘은 맵고 독한 맛이 나므로 마늘 1쪽을 곱게 다져 바로 사용하는 것이 좋다.

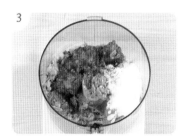

4. 토마토 안에 만들어둔 참치 필링을 채운 후 다진 쪽파로 장식해 서빙한다.

# 상큼한 레몬마요네즈와 새우 브루스케타

- 분량 : 2인분
- 조리시간 : 20분
- 난이도 : 초급

"손으로 들고 먹기 좋은 한입 요리인 브루스케타는 안주로도 좋고, 간식으로도 좋아요. 레몬즙이 들어간 홈메이드 마요네즈를 곁들이면 상큼한 맛을 더해져 더욱 맛있게 먹을 수 있답니다."

INGREDIENTS

| 재료 | 레몬 마요네즈 |
|---|---|
| □ 큰새우 10마리 | □ 달걀노른자 1개 |
| □ 슬라이스 바게트 10쪽 | □ 소금 1/2작은술 |
| □ 오이 1/2개 | □ 후춧가루 2꼬집 |
| □ 래디쉬 2개 | □ 디종 머스터드 1작은술 |
| □ 다진 파슬리 조금 | □ 레몬 1개분의 레몬즙 |
| □ 식용유 조금(볶음용) | □ 레몬 1개분의 제스트 |
| | □ 포도씨유 1컵(250ml) |

DIRECTIONS

* 레몬 마요네즈(1~2과정)

1. 달걀 노른자에 소금, 디종 머스터드, 레몬즙을 넣고 거품기로 저으면서 포도씨유를 조금씩 떨어뜨려 섞는다.

   tip 처음부터 식용유를 많이 넣으면 마요네즈가 걸쭉해지지 않는다. 처음 1/2컵까지는 포도씨유를 졸졸졸 떨어뜨리며 걸쭉해지도록 거품을 낸다.

2. 걸쭉해지기 시작하면 마요네즈 묽기가 될때까지 거품기로 젓다가 맛을 보며 소금, 후춧가루로 간하고 레몬 제스트를 넣어 준다.

   tip 마요네즈를 만들기 어렵다면 시판 마요네즈를 사용해도 좋다.

3. 냉동 새우는 해동하여 머리와 껍질, 내장을 제거한 후 등쪽에 길게 칼집을 넣는다. 달군 팬에 식용유를 둘러 5분간 볶아 익힌 후 소금, 후춧가루로 간한다.

4. 바게트를 마른 팬에 바삭하게 굽고, 오이와 래디쉬는 3mm 두께로 슬라이스한다. 바게트 위에 오이 슬라이스 2장, 래디쉬 슬라이스 2장을 얹은 후 레몬 마요네즈와 볶은 새우를 올리고 파슬리를 뿌리면 완성.

 N O T E

브루스케타(Bruschetta)는 이탈리아의 전채요리인 안티파스토에 서빙되는 한 입 크기의 작은 요리이다. 빵에 마늘을 비벼 향을 내고 올리브유를 두른 뒤 여러가지 토핑을 위에 올려 먹는다.

# 파이 안에 새우가 쏙! 새우 키슈

- 분량 : 20cm 원형틀 1개
- 조리시간 : 1시간
- 난이도 : 고급

"짭짤하고 바삭한 맛의 프랑스 오픈 파이인 키슈는 여러가지 재료로 다양하게 만들 수 있어요. 새우를 넣고 만들면 뽀득뽀득 씹히는 맛이 일품입니다. 느끼하지 않고 맛있는 새우키슈를 만드는 방법을 담았어요."

## INGREDIENTS

| 쇼트 페이스트 | 필링 | |
|---|---|---|
| □ 중력분 1과3/4컵(250g) | □ 식용유 조금(볶음용) | □ 달걀 2개 |
| □ 소금 1꼬집 | □ 양파 1/2개(다지기) | □ 생크림 1/2컵(125ml) |
| □ 차가운 버터 150g | □ 큰새우 10~12마리 | □ 토마토 케첩 2큰술 |
| (깍둑썰기) | (다지기) | |
| □ 달걀 1개 | □ 소금 2꼬집 | 토핑 |
| | □ 후춧가루 2꼬집 | □ 그뤼에르 치즈가루 1/2컵 |
| | □ 청주 1큰술 | □ 작은 새우 8마리 |

## DIRECTIONS

1. 밀가루와 소금을 잘 섞은 후 깍둑 썬 버터를 밀가루에 넣어 손으로 비벼 보슬보슬한 상태로 만든다.

2. 달걀을 넣고 날밀가루가 보이지 않도록 반죽한 후 반죽을 원반 모양으로 둥글려 랩으로 싸서 냉장고에 30분간 휴지한다.

3. 10~15분간 190℃로 오븐 예열. 작업대에 덧밀가루를 뿌리고 반죽을 밀어 20cm 틀에 앉히고, 가장자리를 다듬는다.

   tip 반죽을 밀어 쿠키틀이나 밥그릇으로 찍어 머핀팬에 반죽을 얹어도 좋다.

4. 포크로 바닥에 구멍을 낸 후 예열한 오븐에 25분간 굽는다.

5. 중불로 달군팬에 식용유를 두르고 양파가 투명해지도록 볶는다.

6. 양파를 볶은 팬에 다진 새우를 넣고 소금, 후춧가루로 간하고 볶다가 청주를 넣고 살짝 끓인 후 불에서 내리고 토핑용 새우도 노릇하게 구워둔다.

7. 볼에 달걀, 생크림, 토마토 케첩, 볶은 양파와 새우를 넣어 소금, 후춧가루로 간을 맞춘다.

8. 구워 놓은 쇼트 페이스트에 필링을 붓고 토핑용 새우를 올린 후 갈아 놓은 치즈를 얹어 예열된 오븐에 15~20분간 굽고 식힘망 위에 올려 식힌다.

3
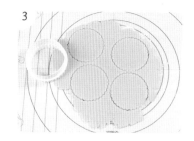

7

8

# 향에 먼저 반하는 홍합 그라탕

- 분량 : 2인분
- 조리시간 : 30분
- 난이도 : 초급

"향이 좋은 마늘과 빵가루를 올린 홍합 그라탕이에요. 홍합철이 아니라면 손질된 냉동 홍합으로 간편하게 만들어 먹을 수 있어요. 오븐에 구워 바삭해진 빵가루가 홍합을 더욱 맛있게 먹을 수 있게 해줍니다."

| 재료 |

- 냉동 그린 홍합 10개
  (껍질 한쪽에 살만 붙어 있는
  자숙 홍합)
- 빵가루 1/2컵
- 다진 파슬리 1큰술
- 다진 마늘 2큰술

- 소금 1꼬집
- 버터 1큰술
- 사방 1cm 크기로 자른
  치즈 10조각

DIRECTIONS

1. 냉동 홍합은 해동하여 겉면에 지저분하게 묻은 것을 깨끗이 씻는다

   tip 생물 홍합을 사용한다면 깨끗이 껍질을 씻고 아무것도 넣지 않은 냄비에 홍합을 넣고 뚜껑을 덮어 가열하여 입이 벌어지면 껍질 한쪽을 떼내서 준비한다.

2. 달군 팬에 버터를 녹이고 빵가루와 마늘을 넣어 노릇하고 바삭해지도록 볶는다.

3. 불을 끄고 파슬리를 잘 섞은 후 소금, 후춧가루 간한다.

4. 베이킹팬 위에 홍합을 나열하고 홍합 위에 볶은 마늘, 빵가루를 조금씩 얹고 치즈를 올린 후 오븐의 그릴 기능을 사용해 치즈가 녹도록 5~10분간 굽는다. 또는 250℃로 가열한 오븐의 맨 윗단에 10분간 굽는다.

   tip 치즈는 에멘탈 치즈나 그뤼에르 치즈, 파마산 치즈 등을 갈아서 올리고 구하기 힘들다면 슬라이스 체다 치즈나 모짜렐라 치즈를 올려도 된다.

NOTE

그라탕(Gratin)은 여러 재료를 그릇에 담아 치즈와 빵가루를 위에 뿌려 오븐에 구워 낸 요리를 말한다.

# 비타민이 꽉찬 콜리플라워 새우 수프

- 분량 : 2인분
- 조리시간 : 30분
- 난이도 : 중급

"비타민 C가 풍부한 콜리플라워는 수프로 만들어도 맛있게 먹을 수 있어요. 부드러운 맛의 콜리플라워 수프에 새우를 고명으로 얹으면 맛도 더욱 좋고 보기도 귀엽습니다."

| 재료 |

- 콜리플라워 400g
- 소금 1큰술
- 냉동 새우 10마리
- 버터 1큰술
- 밀가루 2큰술

- 우유 1컵
- 소금 2꼬집
- 후춧가루 2꼬집

1. 냄비에 물을 넉넉히 끓여 소금 1큰술을 넣고 콜리플라워는 줄기를 잘라내고 작은 송이별로 자른 후 끓는 물에 10분간 삶아 건져서 찬물에 헹궈둔다.

   *Tip* 콜리플라워 대신 브로콜리를 이용해 만들어도 좋다.

2. 냄비에 물을 끓여 새우를 삶는다.

3. 팬을 달궈 버터를 녹이고 밀가루를 넣어 조금 볶다가 우유를 넣고 덩어리지지 않도록 잘 섞은 후 소금, 후춧가루로 간한다.

4. 삶은 콜리플라워를 수프 베이스에 넣어 잘 섞고 그릇에 담아 삶은 새우를 얹은 후 서빙한다.

# 손님 초대 요리(한식)

Korean food for inviting guests

# 고기 대신 생선을 품은 갈치 동그랑땡

🍲 분량 : 2~3인분

⏰ 조리시간 : 60분

🎚 난이도 : 중급

"흔히 돼지고기로 많이 만드는 동그랑땡이에요. 쇠고기와 갈치를 넣어 만들면 돼지고기 특유의 냄새가 나지 않고 맛이 좀 더 담백해진답니다. 하루쯤은 평소와 다른 특별한 동그랑땡을 즐겨 보세요."

| 재료 | 쇠고기 양념 | |
|---|---|---|
| ☐ 갈치 2토막(150g) | ☐ 간장 1/2큰술 | ☐ 쪽파 1줄기(다지기) |
| ☐ 식용유 조금(구이용) | ☐ 꿀 1/4큰술 | ☐ 후춧가루 2꼬집 |
| ☐ 쇠고기 우둔살 250g(다지기) | ☐ 생강가루 1/2작은술 | ☐ 소금 1/4작은술 |
| ☐ 양파 1/4개(다지기) | (생략 가능) | |
| ☐ 밀가루 1/2컵(80g) | ☐ 전분 1/2큰술 | |
| ☐ 달걀 2개 | ☐ 참기름 1/2작은술 | |
| ☐ 장식용 쑥갓 조금 | ☐ 깨소금 1/2작은술 | |
| ☐ 장식용 홍고추 조금(어슷썰기) | ☐ 다진 마늘 1/2작은술 | |

1. 갈치는 달군 팬에 식용유를 두르고 구운 후 손으로 가시를 모
   두 떼고 살만 발라내 곱게 으깬다.

   *tip* 가시를 발라내 손질한 냉동 갈치는 사용하면 요리하기 더욱 간편하다.

2. 볼에 다진 쇠고기와 쇠고기 양념을 한데 넣고 버무린 후 갈치
   살, 전분, 생강가루를 넣어 잘 섞은 후 소금, 후춧가루로 밑간
   한다.

   *tip* 다짐육을 사용하면 간편하게 만들 수 있다.

3. 2를 지름 3cm 정도로 동글납작하게 빚어 앞뒤로 밀가루를 묻
   히고 여분의 밀가루는 털어낸 후 달걀물에 담근다.

   *tip* 여분의 밀가루를 잘 털어내야 달걀옷이 떨어지지 않고 노릇하게 완성
   된다.

4. 중불로 달군 팬에 식용유를 두르고 3의 동그랑땡을 올린다. 아
   래 면이 익는 동안 윗 면에 장식용 쑥갓과 홍고추를 얹어 앞뒤
   로 노릇하게 부쳐 완성한다.

NOTE

쇠고기에서 핏물이 나온다면 키친타월로 닦아낸 후 사용해야 특유의 냄새가
나지 않고 노릇하게 완성된다.

# 동태보다 깔끔한 갈치전

- 분량 : 2~3인분
- 조리시간 : 20분
- 난이도 : 초급

"갈치는 다른 생선에 비해 비린내가 적고 맛이 깔끔해 전으로 부쳐 먹어도 좋아요. 살만 발라져 있는 손질 갈치를 사용하면 단정한 모양의 갈치전을 만드는 건 식은죽 먹기죠."

INGREDIENTS

| 재료 |

▫ 갈치 140~150g
▫ 소금 1꼬집
▫ 후춧가루 적당량
▫ 밀가루 1/3컵
▫ 달걀 2개
▫ 식용유 조금(부침용)

| 초간장 |

▫ 물 1큰술
▫ 간장 2큰술
▫ 레몬즙 1큰술
  (또는 식초 1큰술)

DIRECTIONS

1. 갈치는 4cm 길이로 잘라서 소금과 후춧가루를 뿌려 간한다.
   달걀을 풀어 달걀물을 만든다.

   tip 갈치는 가정에서 포를 뜨기 어려우므로 살만 발라서 판매하는 냉동 갈
   치는 사용하는 것이 편리하다.

2. 갈치의 앞뒤 면에 밀가루를 묻히고 여분의 밀가루는 잘 털어낸
   후 달걀물에 담근다. 초간장 재료를 섞어 초간장을 만든다.

3. 달군 팬에 식용유를 두르고 달걀물에 담근 갈치를 올려 앞뒤로
   노릇하게 부친 후 초간장과 함께 내어 완성한다.

   tip 검은깨를 고명처럼 뿌려주면 보기에 더 좋다.

All That Fish  176 177

# 모두가 좋아하는 아몬드 생선구이

🍲 분량 : 2인분
⏰ 조리시간 : 30분
🎚 난이도 : 중급

"고소하고 바삭한 아몬드와 담백하고 부드러운 흰살 생선의 만남! 아이부터 어른까지 두루 좋아할 수 있는 아몬드 생선구이에요."

| 재료 |

□ 아몬드 1/4컵(35g)          □ 밀가루 4큰술
□ 달걀 2개                   □ 식용유 조금(구이용)
□ 흰살생선 300~400g
□ 소금 1/4작은술
□ 후춧가루 2꼬집

## DIRECTIONS

1. 아몬드는 굵게 다지고, 달걀은 넓은 그릇에 풀어 달걀물을 만든다.

2. 생선은 먹기 좋은 크기로 자른 후 키친타월로 물기를 제거하고 소금, 후춧가루를 뿌려 밑간한다.

   *tip* 전감으로 나온 동태나 대구를 사용하면 간편하게 만들 수 있다.

3. 생선 앞뒤로 밀가루를 입히고 여분의 밀가루는 털어낸 후 달걀물에 담근다.

4. 생선 앞뒤에 아몬드 가루를 고르게 묻힌 후 식용유를 두른 팬에 얹어 앞뒤로 바삭하게 구워 완성한다.

   *tip* 한 면당 2분간 굽는다.

NOTE

가자미, 동태, 대구 등 기름기가 적고 담백한 생선으로 야채와 같이 곁들여 샐러드로 만들어도 좋다.

# 남대문 시장의 맛, 칼칼한 갈치조림

🍲 분량 : 2인분

⏰ 조리시간 : 20분

🎚 난이도 : 중급

"남대문에서 먹던 칼칼한 맛의 갈치조림이 생각날 때가 있어요. 그 맛이 생각날 때, 집에서 거뜬하게 만들 수 있어요. 짭조름한 조림무도 맛있지만 칼칼한 국물에 밥을 말아 먹으면 그 맛이 또 꿀맛이지요."

| 재료 | 물 1컵 | 청양고추 1개(다지기) |
|---|---|---|
| 갈치 1/2마리(200g) | | 후춧가루 2꼬집 |
| 무 2토막(100g) | 조림 양념 | 통깨 1작은술 |
| 양파 1/2개(채썰기) | 물 2큰술 | |
| 홍고추 1/2개(어슷썰기) | 간장 2큰술 | |
| 마늘 2쪽(편 썰기) | 고춧가루 1/2큰술 | |
| 대파 5cm 1대(편 썰기) | 다진 마늘 1큰술 | |

DIRECTIONS

1. 갈치는 깨끗하게 씻어 지느러미를 가위로 잘라내고 무는 2cm 두께로 은행나무 잎 모양으로 썰고, 양파는 채썬다.

2. 볼에 조림 양념 재료를 넣고 섞는다.

3. 냄비에 무를 깔고 그 위에 갈치를 올린 후 갈치 조림 양념을 얹고 자작하게 물을 넣은 후 대파, 홍고추, 마늘 편을 올린다.

4. 중불로 가열하다가 끓기 시작하면 약불로 줄이고 갈치 표면에 조림 양념이 마르면 국물을 떠서 끼얹어 무와 갈치에 골고루 간이 배도록 해 완성한다.

NOTE

은색 껍질이 벗겨지지 않은, 통통하고 살이 단단한 갈치를 고른다. 매운 맛을 첨가하고 싶을 땐 청양고추 1개를 어슷썰어 넣는다.

# 크림처럼 부드러운 가자미찜

- 분량 : 2인분
- 조리시간 : 30분
- 난이도 : 중급

"가자미를 쪄 가자미찜을 만들면 살이 크림처럼 부드러워 식감이 아주 좋아요. 식용유에 굽지 않아 칼로리가 낮고 단백질은 많아 다이어트에도 안성맞춤인 메뉴예요."

| 재료 | 간장 양념 | |
|---|---|---|
| 가자미 2마리 | 간장 2큰술 | 후춧가루 2꼬집 |
| 청주 1큰술 | 꿀 1/4작은술 | 통깨 1작은술 |
| 소금 1/2작은술 | 참기름 1작은술 | |
| 후춧가루 조금 | 대파 3cm 1대(다지기) | |
| 실고추 조금 | 다진 마늘 1큰술 | |

DIRECTIONS

1. 가자미에 청주를 끼얹고 소금, 후춧가루를 앞뒤로 뿌린 후 찜통에 김을 내 가자미가 익도록 10분간 찐다.

2. 간장 양념 재료를 고루 잘 섞는다.

3. **1**의 찐 가자미를 접시에 담고 그 위에 간장 양념을 얹은 후 실고추를 올려 완성한다.

1

2

NOTE

* 가자미는 살이 부드러워 부스러지기 쉬우니 찜통에 올릴 때, 은박지나 그릇에 올려 찌면 완성 후 용기에 옮길 때 살이 부서지는 걸 막을 수 있다.
* 은박지에 이쑤시개로 구멍을 뚫어주면 김이 더 잘 통하고 생선에서 나온 물이 빠지므로 깔끔하고 빠르게 찔 수 있다.

# 생선이 들어가 든든한, 피시 샐러드

- 🍲 분량 : 2인분
- ⏱ 조리시간 : 20분
- 🎚 난이도 : 중급

"고소하고 담백한 맛의 생선은 샐러드로 만들어도 맛이 좋아요. 비린내가 적은 흰 살 생선은 든든한 샐러드가 된답니다. "

## INGREDIENTS

| 재료 | | 드레싱 |
|---|---|---|
| □ 베이컨 1줄 | □ 밀가루 1큰술 | □ 올리브유 3큰술 |
| □ 빨간 방울토마토 6개 | □ 식용유 조금(구이용) | □ 레몬즙 2큰술 |
| □ 노란 방울토마토 6개 | □ 곡물빵 2조각 | □ 말린 바질 1/4작은술 |
| □ 흰살 생선 150~200g | □ 올리브유 조금 | □ 소금 2꼬집 |
| □ 소금 2꼬집 | □ 로메인 상추 2~4장 | □ 후춧가루 조금 |
| □ 후춧가루 조금 | | |

## DIRECTIONS

1. 베이컨은 1cm 폭으로 썰고, 방울토마토는 세로로 4등분한다. 로메인상추는 손으로 큼직하게 뜯는다.

   *tip* 로메인상추 대신 청상추나 양상추, 치커리를 이용해도 된다.

2. 생선에 소금, 후춧가루를 뿌린 후 앞뒤로 밀가루를 묻힌다. 여분의 밀가루는 털어낸 후 달군 팬에 식용유를 두르고 노릇하게 굽는다.

   *tip* 흰살 생선 대신 훈제연어나 구운 참치, 또는 참치 통조림을 이용해 만들어도 좋다.

3. 달군 팬에 베이컨을 구운 후 키친타월에 올려 기름기를 제거한다.

4. 달군 팬에 올리브유를 두르고 빵을 올려 앞뒤로 노릇하게 굽는다.

   *tip* 곡물빵 대신 식빵이나 바게트를 이용해도 된다.

5. 접시에 적당하게 자른 방울토마토, 로메인상추를 올리고 구운 생선을 한입 크기가 되도록 손으로 뜯어 얹는다.

6. 드레싱 재료를 섞어 드레싱을 만든다. 구운 빵을 손으로 뜯어 올리고 베이컨을 얹은 후 드레싱을 뿌려주면 완성이다.

2

5

6

🥄🍶 NOTE

레몬 제스트는 고운 강판에 레몬 껍질의 노란 부분만 갈아낸 것으로 레몬 향을 더해줄 때 사용한다.

# 한입에 쏙 들어가는 동태찜

- 분량 : 2인분
- 조리시간 : 30분
- 난이도 : 중급

"동태찜은 좋아하지만, 집에서 만들기 너무 번거로워 시도조차 해 보지 못했다면, 부침용 냉동 동태로 만드는 이 간단한 동태찜을 추천해요. 한입에 쏙 들어가는 동태찜은 먹기도 편하고, 만들기는 더 편하답니다."

## INGREDIENTS

| 재료 | 양념장 | 다진 마늘 1큰술 |
| --- | --- | --- |
| □ 전감 동태 200g | □ 물 1/4컵(60ml) | □ 후춧가루 조금 |
| □ 대파 5cm 1대 | □ 국간장 1큰술(조선간장) | □ 참기름 1/2작은술 |
| □ 풋고추 1개 | □ 간장 1큰술 | |
| □ 홍고추 1개 | □ 청주 1큰술 | \| 물전분 \| |
| □ 식용유 조금(볶음용) | □ 고추장 1큰술 | □ 전분 1큰술 |
| □ 콩나물 3줌(100~150g) | □ 고춧가루 3큰술 | □ 물 1큰술 |
| □ 미나리 1줌(50g) | □ 청양고추 1/2개(다지기) | |

## DIRECTIONS

1. 풋고추와 홍고추, 대파는 어슷썬다. 콩나물은 깔끔하게 손질하고 미나리를 손질 후 5cm 길이로 자른다. 분량의 재료로 전분물을 만들고 다른 볼에 양념장 재료를 넣고 섞는다.

2. 달군 팬에 식용유를 두르고 콩나물을 넣어 1분간 볶다가 미나리를 넣어 1분간 더 볶는다.

3. 양념장과 대파, 고추를 콩나물에 섞고 전분물을 조금씩 넣으며 묽기를 맞춘다. 대파를 넣어 한번 우르르 끓으면 불을 끈다.

4. 김이 오른 찜통에 동태를 얹어 5~7분간 쪄낸 후 접시에 담고 양념한 콩나물을 얹어 완성한다.

# 제법 잘 어울리는, 동태 연근전

🍲 분량 : 2인분
⏰ 조리시간 : 40분
🎹 난이도 : 중급

"자꾸만 손이 가는 동태 연근전! 아삭아삭한 연근의 맛도 느끼고, 맛있는 동태전의 맛도 느낄 수 있어요."

| 재료 | |
| --- | --- |
| □ 연근 6cm 1토막 | □ 밀가루 2큰술 |
| □ 레몬즙 2큰술 | □ 달걀 2개 |
| □ 전감 동태 200g | □ 식용유 조금(부침용) |
| □ 쪽파 1줄기(다지기) | |
| □ 소금 1/4작은술 | **장식** |
| □ 후춧가루 조금 | □ 풋고추 1/2개(어슷썰기) |
| □ 참기름 1작은술 | □ 홍고추 1/2개(어슷썰기) |
| | □ 검은깨 조금 |

DIRECTIONS

1. 연근은 5mm 두께로 썬다. 끓는 물에 레몬즙을 넣은 후 연근을 넣어 2~3분간 아삭하게 삶는다.

   *tip* 연근 특유의 떫은 맛을 없애주려는 것으로 레몬즙 대신 식초 1큰술을 사용해도 된다.

2. 동태는 푸드 프로세서에 넣어 곱게 갈아서 다진 쪽파와 소금, 후춧가루, 참기름을 넣고 섞는다.

   *tip* 푸드 프로세서가 없다면 동태를 전자레인지를 사용해 익힌 후 포크로 살을 찢어 준비한다. 전감으로 나온 다른 흰살 생선을 사용해도 된다.

3. 삶은 연근의 앞뒤 면에 밀가루를 입히고 동태 반죽을 연근의 한면에 붙인다. 동태살 부분에 다시 밀가루를 얇게 발라 달걀물에 담근다.

4. 달군 팬에 식용유를 두르고 연근이 밑으로 오도록 얹은 후 윗면에 어슷썬 고추와 검은 깨를 예쁘게 올린다. 색이 노릇해지도록 한면당 2~3분간 충분히 구워서 완성한다.

# 위에 좋은 마를 부담 없이 굴비 마전

🍲 분량 : 2~3인분
⏰ 조리시간 : 40분
🎚 난이도 : 중급

"미끌미끌한 진액이 나오는 마는 위장에 좋아 건강 재료로 손꼽히곤 해요. 몸에 좋은 마를 굴비살과 함께 갈아서 전으로 부치면 부드럽고 감칠 맛으로 별미 반찬이죠. 한 번 익히면서 미끄러운 느낌도 줄어들어 마에 대한 거부감도 덜 수 있답니다. "

| 재료 |

- 굴비 2마리
- 마 2토막(200g)
- 소금 2꼬집
- 양파 1/4개(다지기)
- 당근 1/4개(다지기)
- 다진 마늘 1큰술
- 청양고추 1개(다지기)
- 참기름 1작은술

- 후춧가루 조금
- 통깨 조금
- 달걀 1개
- 찹쌀가루 3큰술
- 식용유 조금(구이용)

| 레몬 간장 |

- 물 1/4컵(60ml)
- 간장 1/4컵(60ml)

- 레몬즙 2큰술
- 다시마 사방 5cm 1장
- 양파 1/2개
- 표고버섯 2개
- 고추냉이(와사비) 1작은술
- 마늘 2쪽

1. 굴비는 굽거나 쪄서 살만 발라 푸드 프로세서에 넣고 마와 함께 곱게 간다.

2. 볼에 **1**의 굴비와 마, 양파, 당근, 마늘, 청양고추, 참기름, 소금, 후춧가루를 넣고 섞는다.

3. **2**에 통깨와 달걀을 넣고 질기를 맞춰가며 찹쌀가루를 넣는다.

   *tip* 질기는 약간 되직하도록 찹쌀가루를 넣으며 조절한다.

4. 달군 팬에 식용유를 두르고 반죽을 1큰술씩 떠서 노릇하게 앞뒤로 구운 후 접시에 담아 레몬 간장과 함께 내 완성한다.

   *tip* 레몬 간장을 만드는 방법은 23쪽을 참고한다.

   *tip* 전 위에 어슷 썬 풋고추와 홍고추를 올려 구우면 보기 좋다.

 NOTE

마는 각종 영양성분이 풍부해 몸의 영양상태를 개선해 주고 저열량, 저지방 식품으로 다이어트에도 무척 좋다

# 색다르게 북어를 즐기는 방법, 북어전

🍲 분량 : 2인분

⏰ 조리시간 : 50분

〰️ 난이도 : 중급

"간장 양념을 한 북어에 달걀을 입혀 구어 먹는 북어전은 함경도 지방의 향토음식입니다. 양념이 북어와 잘 어울려 북어 특유의 식감을 맛있게 즐길 수 있어요."

INGREDIENTS

| 재료 |
- 북어 2마리
- 찹쌀가루 3큰술
- 달걀 2개
  (넓은 그릇에 풀어서 준비)
- 식용유 조금(부침용)

| 간장 양념 |
- 간장 2큰술
- 꿀 1/2큰술
- 후춧가루 조금
- 대파 3cm 1대(다지기)
- 다진 마늘 1큰술
- 생강가루 1/4 작은술
- 통깨 1작은술
- 참기름 1작은술

DIRECTIONS

1. 북어는 머리를 떼내고 가시와 지느러미를 제거하고 껍질 쪽에 칼집을 넣어 4~5cm 크기로 자른 후 큰 볼에 담는다. 물을 넉넉히 부어 10분간 불린 후 꼭 짜서 물기를 제거한다.

    껍질 쪽에 칼집을 넣으면 쪼그라드는 것을 막을 수 있다.

2. 간장 양념을 만들어 잘라 놓은 북어에 조금씩 발라서 30분간 재워둔다.

3. 양념 북어에 찹쌀가루를 묻히고 달걀물을 입혀 달군 팬에 식용유를 두르고 노릇하게 지져낸다.

    북어가 들떠서 지져내기 어려우면 뒤집개 등으로 누르면서 지져낸다.

# 매콤하고 아삭한 회무침

🍲 분량 : 2인분
⏰ 조리시간 : 20분
🍜 난이도 : 중급

"음식점에서 먹는 회무침을 집에서도 만들 수 있어요. 광어나 우럭회에 채소를 넣고 양념으로 무쳐내면 외식이 필요 없어요."

| 재료 | | |
|---|---|---|
| □ 광어회 1마리(또는 우럭) | □ 참기름 1큰술 | □ 꿀 1작은술 |
| □ 양배추잎 2장 | □ 통깨 1작은술 | □ 고춧가루 1작은술 |
| □ 양파 1/2개 | | □ 다진 마늘 1작은술 |
| □ 당근 1/2개 | 양념장 | □ 대파 2cm 1대(다지기) |
| □ 영양부추 1줌 | □ 고추장 3큰술 | □ 생강가루 1/4작은술 |
| □ 깻잎 10장 | □ 매실액 1작은술 | □ 고추냉이 1/2작은술 |
| □ 날치알 3~4큰술 | (생략 가능) | □ 청주 1/2작은술 |
| | □ 레몬즙 2큰술 | |

DIRECTIONS

1. 양념장을 만들어 둔다.

1

2. 양배추, 양파, 당근은 곱게 채썰고 영양부추는 4cm 길이로 썬다.

3. 볼에 광어회와 2의 다진 야채를 넣고 만들어둔 1의 양념장을 넣어 고루 버무린 후 참기름과 통깨를 넣어 잘 버무린다.

2

4. 접시에 깻잎을 깔고 깻잎 위에 날치알을 1/2작은술씩 얹은 후 접시의 가운데에 회 무침을 올리면 완성이다.

*tip* 실처럼 가는 영양부추를 구하기 힘들다면 일반 부추를 이용해도 된다.

3

 NOTE

양념을 버무려서 오래 두면 물이 생기기 시작하니 먹기 적전에 버무린다. 날
치알을 올린 깻잎에 회무침을 덜어 쌈으로 싸서 먹으면 된다. 구운 김을 적당
히 잘라 같이 먹어두 잘 어울리다

# 입에서 살살 녹는 패주전

분량 : 2인분

조리시간 : 30분

난이도 : 초급

"독특한 맛을 가진 패주는 얇게 저며 전으로 부치면 질기지 않고 맛있게 먹을 수 있습니다. 질겨지지 않도록 너무 오래 굽지 않는 것이 포인트랍니다!"

| 재료 | 초간장 |
|---|---|
| ▢ 패주(키조개 관자) 큰 것 4개 | ▢ 간장 2큰술 |
| ▢ 소금 2꼬집 | ▢ 레몬즙 1큰술 |
| ▢ 후춧가루 2꼬집 | ▢ 물 1큰술 |
| ▢ 찹쌀가루 2큰술 | |
| ▢ 달걀 1개(넓은 접시에 풀어서 준비) | |
| ▢ 식용유 조금(구이용) | |

DIRECTIONS

1. 키조개 관자는 둘레에 붙어 있는 얇은 막을 떼어 내고 깨끗이 씻어 가로로 8mm 두께로 저민 후 윗부분에 잘게 칼집을 내 소금, 후춧가루를 뿌려둔다.

2. 관자에 찹쌀가루를 앞뒤로 잘 묻힌 후 여분의 가루를 털어 달걀물을 입힌다. 달군 팬에 식용유를 두르고 관자를 노릇하게 지진다. 초간장 재료를 섞어 간장을 만든 후 관자전과 함께 낸다.

> tip 좀 더 부드럽게 즐기려면 관자에 붙어 있는 흰색 부분을 뜯어내고 저며서 전을 구워주면 된다. 가리비 관자를 이용하면 키조개보다 좀 더 부드럽게 즐길 수 있다.

NOTE

관자의 정식 호칭은 육주 또는 폐개근이라고 하고 속칭으로 패주 또는 조개관자라고 한다. 관자는 둥근 원기둥 모양으로 조개껍질 안쪽에 붙어 있는데 조개 껍질을 여닫는 역할을 하는 근육을 말한다. 가리비나 키조개의 관자는 크기가 크고 맛이 좋아 요리에 주로 이용해 먹는데, 특히 가리비 관자는 연하고 맛이 좋아 어려가지 양식 요리에 많이 쓰인다.

# 푸짐해서 더 든든한 해물파전

- 분량 : 2인분
- 조리시간 : 30분
- 난이도 : 중급

"경희대 앞의 유명한 음식점에서 처음 먹어 본 해물파전. 어찌나 맛있게 먹었었는지 해물파전 하면 항상 그때가 생각납니다. 비 오는 날 더욱 생각나는 해물파전이죠. 재료를 비슷한 길이로 손질하면 먹기가 편한 건 물론 모양도 정갈하답니다."

## INGREDIENTS

| 재료 | 반죽 | 간장 양념 |
|---|---|---|
| □ 오징어 1마리(75g) | □ 밀가루 1컵(150g) | □ 간장 4큰술 |
| □ 큰새우 6마리(75g) | □ 찹쌀가루 1/2컵(85g) | □ 물 1큰술 |
| □ 홍합살 1/3컵(75g) | □ 전분 2큰술 | □ 레몬즙 1큰술 |
| □ 쪽파 1줌 | □ 달걀 1개 | □ 다진 마늘 1큰술 |
| □ 홍고추 1개(채썰기) | □ 물 1컵(250ml) | □ 쪽파 1줄기(다지기) |
| □ 풋고추 1개(채썰기) | | □ 고춧가루 1/2작은술 |
| □ 식용유 조금(부침용) | | □ 통깨 1작은술 |
| | | □ 참기름 1큰술 |

## DIRECTIONS

1. 오징어는 껍질을 벗겨 먹기 좋게 자른다. 새우의 등 부분에 이쑤시개를 질러 넣어 내장을 제거하고 껍질을 벗겨 먹기 좋은 크기로 자른다.

   *tip* 손질한 후 냉동해서 파는 시판 해물을 이용하면 간편하게 만들 수 있다.

2. 볼에 밀가루, 전분, 찹쌀가루, 달걀, 물을 넣고 잘 섞은 후 **1**의 오징어, 새우와 홍합살을 넣어 반죽을 만든다.

   *tip* 찹쌀가루가 없다면 동량의 밀가루로 대체해도 된다.

3. 달군 팬에 식용유를 두르고 반죽을 적당히 떠서 얹고 그 위에 잘라 놓은 쪽파를 올린다.

4. 윗 부분에 홍고추와 풋고추를 얹어 장식한 후 반죽을 살짝 떠 올린 후 노릇하게 구워내 간장 양념과 함께 낸다.

# 안주로 제격 골뱅이 소면무침

- 분량 : 2인분
- 조리시간 : 30분
- 난이도 : 초급

"입맛 없는 날 새콤, 매콤하게 먹을 수 있는 골뱅이 소면무침. 감칠맛 나는
골뱅이의 쫄깃한 식감이 입에 침이 절로 고인답니다."

## INGREDIENTS

| 재료 |

- 통조림 골뱅이 1캔(200g)
- 양파 1/4개(채썰기)
- 당근 1/4개(채썰기)
- 오이 1/2개(채썰기)
- 대파 5cm 1대(채썰기)
- 양배추잎 1장(채썰기)
- 소면 1줌(75~80g)
- 통깨 1작은술

| 양념 |

- 고추장 2큰술
- 고춧가루 2큰술
- 간장 1작은술
- 다진 마늘 1작은술
- 대파 2cm 1대(다지기)
- 생강가루 1/4작은술
- 레몬즙 1큰술~2큰술(취향껏)
- 매실액 1작은술(생략 가능)
- 골뱅이 통조림 국물 1큰술
- 꿀 1/2큰술
- 청주 1/2작은술
- 후춧가루 조금
- 참기름 1작은술

## DIRECTIONS

1. 통조림에 든 골뱅이를 체에 밭쳐 물기를 빼낸 후 먹기 좋은 크기로 썰어둔다. 양념장을 만들어 둔다.

2. 소면은 끓는 물에 넣어 부르르 끓어 오르면 찬물을 붓고 한 번 더 끓어 오르면 다시 찬물을 부은 후 3번째 끓어오를 때 건진다. 국수를 찬물에 헹궈 서빙 접시에 4덩이로 나눠 사리를 틀어 둔다.

    국수를 끓이는 중간에 찬물을 부어주면 국수를 더욱 쫄깃하게 삶아낼 수 있다.

3. 골뱅이와 손질한 야채를 볼에 담고 양념장을 넣어 버무린 후 소면 옆에 얹고 통깨를 뿌리면 완성.

# 손님 초대 요리(외국식)

# 특별한 날엔 참돔 스테이크

🍲 분량 : 2인분
⏰ 조리시간 : 40분
🎏 난이도 : 중급

"특별한 날의 멋진 상차림으로도 손색 없을 것 같은 느낌의 메뉴예요. 부드러운 감자 퓌레와 바삭한 참돔 스테이크의 식감이 잘 어울리는 요리죠. 맛좋은 참돔을 껍질째 구우면 바삭한 맛이 일품이랍니다."

| 재료 |

- 우유 1/4컵(60ml)
- 마늘 2쪽
- 월계수 잎 1장
- 감자 1개(약 200g)
- 소금 1작은술(감자 삶을 때)
- 버터 20g

- 소금 1꼬집
- 후춧가루 조금
- 참돔 필레 2장
- 식용유 조금(구이용)
- 어린잎 채소 2줌

## DIRECTIONS

1. 우유에 마늘, 월계수 잎을 넣고 약불에 가열하다가 끓으면 불을 끄고 뚜껑을 덮어 마늘과 월계수 잎의 향이 배도록 한다.

2. 껍질 벗긴 감자를 깍둑 썰어 냄비에 넣고 감자가 잠길 정도로 물을 붓고 소금 1작은술을 넣어 15~20분간 삶는다.

3. 감자를 체에 밭쳐 물기를 뺀 후 볼에 넣고, 버터도 넣어 곱게 으깬다.

   *tip* 감자를 으깰 때 포테이토 메셔를 사용하면 편리하다(3번 사진 참조).

4. 1을 체에 내려 우유만 남기고, 3의 감자에 넣어 소금, 후춧가루와 골고루 섞는다.

5. 참돔 필레는 먹기 좋은 크기로 2~3등분한 후 달군 팬에 식용유를 두르고 노릇하게 구워 감자 퓌레를 올린 접시에 함께 얹어 완성한다.

🥄🥛 N O T E

* 생선 필레(fillet)는 가시와 중간의 뼈를 제거하고 살만 발라낸 포 뜬 것을 말한다. 돔의 살만 발라서 파는 냉동 필레를 이용하면 손쉽게 만들 수 있다.
* 참돔은 도미과의 물고기로 열량이 낮고 단백질이 풍부한 생선이다. 생선 비린내가 많지 않은 것이 좋은 것인데 비늘이 크고 단단해 잘 벗겨서 조리해야 한다. 참돔은 스테이크로 아주 맛있게 즐길 수 있다.

# 연어회가 프랑스 요리로 변신 연어 타르타르

- 분량 : 2인분
- 조리시간 : 20분
- 난이도 : 초급

"연어회의 새로운 변신! 초밥이나 고추냉이, 간장, 초고추장과 자주 먹게 되는 연어회예요. 연어회로 만드는 타르타르로 색다르게 연어회를 즐겨 보세요"

| 재료 |

- 횟감용 생연어 150g
- 적양파 1/4개(다지기)
- 케이퍼 2큰술(다지기)
- 쪽파 3줄기(다지기)
- 올리브유 1큰술
- 소금 1꼬집
- 후춧가루 조금
- 레몬즙 1/2작은술
- 무순 1줌
- 레몬 제스트 조금 (생략 가능)

## DIRECTIONS

1. 횟감용 생연어는 1cm 크기로 썰어 볼에 담는다.

     마트에서 파는 연어회로 만들어도 좋고, 싱싱한 연어를 구하기 힘들 땐 훈제연어로 만들어도 좋다.

2. 볼에 다진 양파, 쪽파, 연어, 케이퍼, 올리브유, 소금, 후춧가루를 넣고 섞는다.

     이 상태로 1시간이상 재워 두면 더 좋다.

     올리브유는 취향껏 가감한다.

3. 먹기 직전 레몬즙 또는 시판 레몬즙을 넣어 섞은 후 무순과 레몬 제스트로 장식해 완성한다.

     레몬즙은 미리 뿌려 놓으면 연어의 색이 변하게 되므로, 먹기 직접에 뿌린다. 레몬즙은 취향에 따라 조절한다.

     레몬 제스트는 레몬의 노란 껍질 부분을 고운 강판에 긴 것으로 생략 가능하다.

1

2

3

## NOTE

타르타르(tartare)는 날고기나 생선을 잘게 다져 밑간을 하거나 소스 등을 곁들인 음식이다.

# 프랑스 이름의 미국 수프 피시 비시스와즈

- 분량 : 2~3인분
- 조리시간 : 30분
- 난이도 : 초급

"부드러운 맛의 감자 수프와 담백한 맛의 생선이 만났어요. 비린내가 적은 흰살 생선으로 만드는 피시 비시스와즈! 속도 든든하고, 맛도 좋은 궁합이지요. 당근과 생선을 빼고 감자 수프로만 만들어 먹어도 좋아요."

| 재료 |

- 흰살 생선 110~120g
- 버터 1큰술(또는 식용유)
- 대파 5cm 4대
- 양파 1/4개
- 감자 2개(500g)
- 닭육수 2컵(500ml)

- 당근 4cm 1토막(50g)
- 우유 1/2컵(125ml)
- 소금 2꼬집
- 후춧가루 조금
- 식빵 1쪽

DIRECTIONS

1. 흰살 생선은 4cm 크기로 깍둑 썰고, 대파, 양파, 감자, 식빵은 2cm 크기로 깍둑 썬다.

2. 냄비에 물을 담고 끓으면 흰살 생선을 넣어 삶은 후 살만 건져 체에 받쳐둔다.

   *tip* 광어나 우럭, 대구 등의 흰살 생선을 사용하면 된다.

3. 달군 냄비에 버터를 녹이고 채소를 넣고 3~5분간 볶다가 닭육수를 넣는다. 뚜껑을 덮어서 20분 정도 끓인다.

   *tip* 닭육수 대신 동량의 생선이나 쇠고기 육수, 야채 다싯물이나 물을 사용해도 된다.

4. 감자가 익으면 핸드블렌더나 믹서를 이용해 곱게 갈고, 우유와 당근을 넣어 약한 불로 5분간 끓인다.

   *tip* 우유 대신 생크림이나 플레인 요거트를 사용해도 된다.

5. 2의 생선살을 넣고 소금 간한 후 5분간 약불로 끓여 준 후 불을 끄고 후춧가루를 넣어준다.

6. 달군 팬에 버터나 식용유를 조금 두르고 깍둑 썬 식빵을 노릇하게 구워 크루통을 만들고 수프 위에 얹는다.

NOTE

* 비시스와즈(Vichyssoise)는 감자 수프로 리크(leek)라고 불리는 서양 부추, 양파, 감자, 크림, 닭고기 육수를 넣고 만드는 차가운 수프다. 이름 때문에 프랑스에서 만들어진 요리 같지만 미국의 요리사에 의해 처음 만들어졌다고 한다.

# 눈이 먼저 반하는 엔다이브 피시 샐러드

- 분량 : 2인분
- 조리시간 : 30분
- 난이도 : 중급

"맛도 모양도 보장하는 엔다이브 피시 샐러드! 우아하고 가녀린 모양의 엔다이브는 아삭한 맛이 일품이지요. 오목한 잎 모양 덕분에 재료를 담아 손으로 먹기도 편한 샐러드예요."

| 재료 | 드레싱 |
|---|---|
| ☐ 연어 70g | ☐ 레몬즙 1큰술 |
| ☐ 흰살 생선 70g | ☐ 다진 마늘 1큰술 |
| ☐ 엔다이브 1송이 | ☐ 샬롯 1개(다지기) |
| ☐ 래디쉬 2개 | ☐ 올리브유 3큰술 |
| ☐ 페타치즈 조금 | ☐ 소금 1꼬집 |
| ☐ 슬라이스 아몬드 2큰술 | ☐ 후춧가루 조금 |
| ☐ 식용유 조금(구이용) | |

DIRECTIONS

1. 연어와 생선은 깍둑썰기하고, 래디쉬는 얇게 슬라이드한다.

2

2. 달군 팬에 식용유를 두르고 깍둑썬 연어와 흰살 생선을 얹은 후 소금, 후춧가루를 뿌려 노릇하게 굽는다.

3. 볼에 드레싱 재료를 넣고 섞는다.

   *tip* 샬롯은 아주 작은 양파처럼 생긴 채소로 구하기 힘들다면 양파 1/4개를 곱게 디져서 사용한다.

3

4. 엔다이브를 1장씩 뜯어 접시 위에 얹고, 구운 생선, 래디쉬, 아몬드를 뿌린다. 페타치즈를 부숴서 올리고 샐러드 드레싱을 얹어 완성한다.

   *tip* 페타치즈는 생략 가능하다.

4

NOTE

흔히 엔다이브(endive)라고 하면 흰색의 배추 속대를 닮은 벨기엄 엔다이브(Belgium Endive)를 말하는데, 치콘(Chicon)이라고도 부른다. 얼지 않도록 지하실에 보관해 둔 치커리의 뿌리에서 노란 싹이 올라온 것을 발견하여 재배하게 되었다. 배추보다 영양가가 높고 당분이 잘 흡수돼 다이어트 채소로도 인기가 좋은데, 우리나라에서도 재배하며 대형 마트나 인터넷 야채 쇼핑코너에서 어렵지 않게 구할 수 있다.

# 매콤한 스페인 오믈렛 동태 피페라드

- 분량 : 2인분
- 조리시간 : 30분
- 난이도 : 중급

"피망과 토마토가 들어간 스페인의 오믈렛 피페라드예요. 오믈렛에 들어가는 달걀 대신 동태를 넣어 동태 피페라드로 변신했어요."

## INGREDIENTS

| 재료 |

- 양파 1/2개(채썰기)
- 다진 마늘 1큰술
- 청피망 1/2개(채썰기)
- 홍피망 1/2개(채썰기)
- 방울토마토 10개
- 토마토 소스 1/2컵(125ml)

- 카이엔 페퍼 가루 1작은술
  (또는 고운 고춧가루)
- 소금 2꼬집
- 후춧가루 조금
- 전감 동태 4~6조각
- 프로슈토 4조각(또는 얇게 썬 햄)

## DIRECTIONS

1. 달군 팬에 식용유를 두르고 채썬 양파가 투명해지도록 볶다가 다진 마늘과 청·홍피망을 넣고 볶는다.

   tip 찧은 마늘은 쉽게 눌어붙고 타기 때문에, 미리 찧어둔 마늘 대신 즉석에서 마늘 2쪽을 칼로 곱게 다져 사용한다.

2. 방울토마토와 토마토 소스, 카이엔 페퍼 가루를 넣고 약불로 5분간 끓인다.

   tip 맛이 어우러지고 야채가 부드러워지도록 끓인다.

   tip 토마토 소스는 통조림에 든 것을 구입해서 사용하면 된다.

3. 동태를 위에 얹고, 소금, 후춧가루를 뿌려 밑간한 후 뚜껑을 덮고 동태가 익을 때까지 끓인다.

   tip 전감으로 사용되는 다른 생선을 사용해도 좋다.

4. 접시에 프로슈토를 둥글게 말아서 모양낸 후 야채와 동태를 가운데에 얹어 바삭하게 구운 빵과 함께 내 완성한다.

   tip 프로슈토 대신 얇게 썬 햄으로 내체해도 된다.

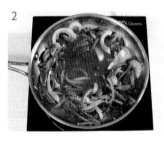

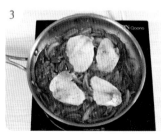

NOTE

\* 피페라드(piperade)는 스페인 바스크 지방의 요리 삐뻬라다(piperrada)를 영어식으로 부르는 이름이다. 피페라드는 잘 익은 토마토, 홍피망, 청피망, 양파, 올리브유와 소금 등을 넣어 만드는 스페인의 오믈렛이다.

\* 프로슈토(prosciutto)는 이탈리아의 염장 건조햄으로 얇게 저며서 판매하는 것을 사용하면 된다.

# 부드러운 대구 베이컨 오븐구이

- 분량 : 2인분
- 조리시간 : 30분
- 난이도 : 중급

" 느끼하지 않은 베이컨 오븐구이예요. 바삭한 베이컨의 식감이 담백한 대구와 잘 어우러지는 맛이라 남녀노소 좋아하는 메뉴예요. 부드러운 맛의 베샤멜 소스가 부드러움을 한층 더해 줍니다. "

## INGREDIENTS

| 재료 | 베샤멜소스 |
|------|-----------|
| ☐ 대구 200~250g | ☐ 버터 1큰술 |
| ☐ 식용유 조금(구이용) | ☐ 밀가루 1큰술 |
| ☐ 베이컨 2줄 | ☐ 우유 1/2컵(125ml) |
| ☐ 다진 쪽파 조금 | ☐ 소금 2꼬집 |
| | ☐ 후춧가루 조금 |
| | ☐ 넛멕 가루 1꼬집 |

## DIRECTIONS

1. 대구는 먹기 좋은 크기로 적당히 자른다.

2. 중불로 달군 냄비에 버터를 넣어 녹이고 밀가루를 넣어 살짝 볶는다.

3. 우유를 넣고 덩어리가 지지 않도록 저어 주다가 소금, 후춧가루, 넛멕 가루를 넣어 생크림 묽기가 되도록 끓이면 베샤멜 소스가 완성된다.

4. 달군 팬에 베이컨을 넣고 노릇하게 굽는다.

   tip 오븐에서 한 번 더 구울 것이기 때문에 베이컨은 너무 많이 굽지 않도록 한다.

5. 달군 팬에 식용유를 두르고 대구를 얹고 소금, 후춧가루를 뿌려 밑간한 뒤 앞뒤로 노릇하게 굽는다.

6. 오븐 용기에 대구를 얹고 베이컨을 올린 후 베샤멜 소스를 뿌려 오븐의 그릴 기능으로 5~10분간 굽고, 다진 실파를 올린 후 완성한다.

   tip 그릴 기능이 없을 땐 오븐을 250℃로 예열한 후 맨 윗단에서 굽는다.

 NOTE

베샤멜 소스 만드는 것이 번거롭다면 생크림을 있어 베샤멜 소스를 대신해도 좋다.

# 영국을 대표하는 피시 앤 칩스

🍲 분량 : 2인분
⏱ 조리시간 : 40분
🎛 난이도 : 중급

"감자튀김을 곁들인 영국의 유명한 생선요리 피시 앤 칩스예요. 바삭한 식감의 홈메이드 감자 튀김으로 더욱 맛있게 즐겨보세요."

## INGREDIENTS

| 칩스 |
- 감자 2개(각 200~250g)
- 튀김용 포도씨유 적당량
- 꽃소금 조금

| 대구 튀김 |
- 대구 필레 2조각(각 155~200g)
- 소금 1/4작은술
- 후춧가루 2꼬집

| 밀가루 4큰술
- 밀가루 4큰술
- 달걀 2개
- 빵가루 1컵
- 식용유 조금(부침용)

| 소스 |
- 마요네즈 4큰술
- 다진 마늘 1큰술
- 다진 오이피클 2큰술

| 장식 |
- 이탈리안 파슬리 조금
- 레몬 웨지 2조각

## DIRECTIONS

* 감자 튀김(1~3과정)

1. 감자는 껍질을 벗기고 6mm 굵기로 길쭉하게 자른 후 물에 10
분간 담가 전분기를 제거하고 키친타월로 물기를 완전히 닦아
준다.

    물에 담그지 않고 바로 키친타월로 표면의 물기를 제거한 뒤 사용해도
   된다.

2. 튀김용 식용유를 냄비 바닥에서 10cm 높이로 올라오도록 담
고 160~165℃로 가열한 뒤 2~3차례에 나누어 감자를 4분
간 튀긴다.

    감자를 자게 잘라 식용유를 넣었을 때 바닥까지 가라앉았다가 바로 올
   라오고 보글보글 거품이 나는 정도면 식용유의 온도가 적당한 것이다.

    감자를 익히는 과정이므로 감자가 흰빛이 돌고 흐물흐물 해도 상관없다.

    튀김용 식용유는 포도씨유나 해바라기씨유가 적당하다.

3. 식용유 온도를 185~190℃로 높이고 초벌 튀김한 감자를 넣
어 4~7분간 튀긴 후 체에 받치고 꽃소금을 뿌린다.

    감자를 식용유에 넣었을 때 바로 식용유 위로 떠오르며 거품이 바글대
   는 정도면 식용유 온도가 적당한 것이다.

    감자를 노릇하고 바삭하게 익히는 과정으로 색이 적당히 나고 겉이 바
   삭해지면 4분이 채 되지 않더라도 건져낸다.

* 대구 튀김(4~7과정)

**4.** 대구를 키친타월에 올려 물기를 제거하고, 소금, 후춧가루를 뿌려 밑간한다.

> *tip* 스테이크용으로 나온 크기가 큰 대구 필레를 사용하면 좋은데, 구하기 힘들다면 전감으로 나온 대구를 여러 조각 사용해도 된다.

**5.** 밀가루에 소금과 후춧가루를 조금 넣고 잘 섞고 대구의 앞뒤에 잘 묻힌 뒤 여분의 가루는 털어낸다. 달걀을 넓은 그릇에 풀고 대구를 넣어 달걀물을 입힌다.

**6.** 5의 대구에 빵가루를 앞뒤로 고르게 묻힌 후 손으로 눌러주어 떨어지지 않도록 한다.

**7.** 중불로 달군 팬에 식용유를 1cm 높이가 되도록 붓고 대구를 넣어 노릇하게 튀긴다.

**8.** 볼에 마요네즈, 다진 마늘, 다진 피클을 넣고 섞어 소스를 만든다.

> *tip* 찧어 놓은 마늘은 독한 맛이 나고 진득한 질감이 생기니, 마늘 2쪽 정도를 칼로 곱게 다져 사용한다.

> *tip* 다진 피클은 슬라이스 피클 4~5조각을 곱게 다져서 넣어주면 된다.

4

5

6

7

8

9. 튀긴 감자와 대구를 접시에 담고 이탈리안 파슬리를 다져서 뿌려준 뒤 레몬웨지로 장식해서 소스와 함께 먹으면 된다.

 먹기 전에 레몬웨지로 레몬즙을 짜서 대구 위에 뿌려 먹으면 상큼한 맛과 향을 더할 수 있다.

😋🥤 N O T E

＊ 피시 앤 칩스(Fish and Chips)는 영국, 아일랜드, 오스트렐리아 뉴질랜드 캐나다 등지에서 유명한 인기 있는 영국 대표 요리이다. 영국 특유의 요리로 잘 알려진 피시 앤 칩스는 반죽을 입혀 튀긴 대구와 튀긴 감자를 곁들여 먹는데 주로 음식점에서 구입 후 매장 밖으로 가지고 나와서 먹는 take-away 요리로 유명하다. 주문한 음식이나 음료를 매장에서 먹지 않고 포장해 갖고 가는 방식을 흔히 '테이크아웃(take out)'이라고 부르는데, 영국이나 호주 등 영어를 사용하는 곳에서는 'take-away'를 더 많이 사용한다.

# 담백한 토마토 소스 대구 스테이크

🍲 분량 : 2인분
⏰ 조리시간 : 40분
🎚 난이도 : 중급

"파스타와 많이 곁들이는 토마토 소스는 담백한 대구와도 아주 잘 어울려요. 간단하고 맛도 좋은 양식요리를 원한다면 비린내가 적고 부드러운 대구 스테이크에 토마토 소스를 곁들여 보세요."

| 재료 | 토마토소스 | |
| --- | --- | --- |
| □ 스테이크용 대구 2조각 (각 200g) | □ 식용유 조금(볶음용) | □ 후춧가루 조금 |
| □ 소금 1/4작은술 | □ 양파 1/2개(다지기) | □ 토마토 케첩 1큰술 |
| □ 후춧가루 2꼬집 | □ 방울토마토 20개(4등분) | □ 다진 파슬리 2큰술 |
| □ 올리브유 2큰술 | □ 다진 마늘 1큰술 | |
| □ 식용유 조금(부침용) | □ 말린 오레가노 1꼬집 | |
| □ 청주 80ml(또는 화이트와인) | □ 말린 타임 1꼬집 | |
| | □ 소금 2꼬집 | |

DIRECTIONS

1. 대구는 물기를 제거하고 소금, 후춧가루를 뿌린 후 올리브유를 앞뒤로 고르게 바른다.

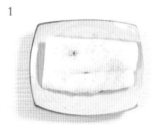
1

2. 중불로 달군 팬에 식용유를 두르고 다진 양파가 투명해지도록 볶다가 4등분한 방울토마토, 마늘, 오레가노, 타임을 넣고 소금, 후춧가루로 간한 뒤 불을 줄이고 뚜껑을 덮어 5분간 끓인다.

3. 다른 팬을 달군 후 식용유를 조금 두르고 대구를 넣어 두께에 따라 2~4분간 익힌 뒤 뒤집고 청주나 화이트 와인을 부어 향을 낸다. 2~4분간 노릇하게 마저 굽고 접시에 담는다.

   *tip* 화이트와인을 사용한다면 단맛이 없는 드라이 화이트 와인이 좋다.

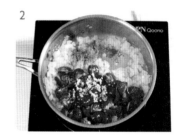
2

4. 2의 끓고 있는 토마토 소스에 토마토 케첩을 넣고 섞은 후 소금, 후춧가루를 넣어 간을 맞춘 뒤 다진 파슬리를 넣어 섞는다.

5. 접시에 담은 대구 위에 토마토 소스를 부어 완성한다.

4

NOTE

스테이크용 대구는 수입 식품을 판매하는 대형 마트에서 냉동된 것으로 구입하면 좋다. 생물 대구의 살 부분만 두툼하게 포를 떠서 사용해도 좋고 구입이 어렵다면 부침용 대구를 여러 장 사용해도 좋다.

# 어묵? 피시볼! 요거트 소스 대구볼

🍲 분량 : 2인분

⏰ 조리시간 : 1시간

🎚 난이도 : 고급

"동그란 모양이 어묵 같은 대구볼. 매콤한 맛으로 느끼함을 덜어주고, 요거트 소스로 상큼함까지 더해 주는 요거트 소스 대구볼이에요."

| 재료 |

- 전감 대구 230g
- 달걀 1개
- 우유 1/4컵(60ml)
- 청양고추 1개
- 밀가루 1/2컵(80g)
- 양파 1/2개(다지기)

- 다진 마늘 1큰술
- 쪽파 4줄기(다지기)
- 소금 1/4작은술
- 후춧가루 조금
- 포도씨유 적당량

| 요거트 소스 |

- 플레인 요거트 1/3컵
  (80ml, 1통 분량)
- 레몬즙 1작은술
- 다진 파슬리 1큰술
- 다진 마늘 1작은술

DIRECTIONS

1. 대구를 물에 넣고 삶은 후 푸드 프로세서에 우유, 달걀, 청양
   고추를 넣고 곱게 간다.

   *tip* 푸드 프로세서가 없다면 포크로 곱게 대구살을 찢어 사용한다.

2. 볼에 **1**의 대구, 밀가루, 다진 양파, 다진 마늘, 다진 쪽파를 넣
   어 섞은 후 소금, 후춧가루로 밑간한다.

3. **2**의 대구 반죽을 동그랗게 빚어 모양을 만든 후 튀김 냄비에 식
   용유를 10cm 정도 올라오도록 붓고 180℃로 가열해 3분간
   튀긴 후 체에 밭친다.

   *tip* 반죽이 물러서 손으로 모양 잡기 힘들다면 수저로 떠서 냄비에 넣고 튀
   긴다.

   *tip* 반죽을 식용유에 조금 넣었을 때 금세 떠오르면서 거품이 보글보글 난
   다면 기름 온도가 적당한 것이다.

4. 볼에 플레인 요거트, 레몬 즙, 다진 파슬리, 다진 마늘을 넣고
   섞은 후 튀긴 대구볼과 함께 접시에 담아 완성한다.

2

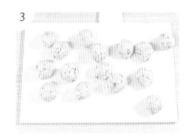

3

3

# 식사로도 든든한 대구 시금치 오믈렛

🍲 분량 : 2인분
⏰ 조리시간 : 40분
🎛 난이도 : 중급

"빵 사이에 끼워 간단하게 샌드위치로 먹어도 좋은 요리예요. 오믈렛에 흰 살 생선을 넣어 주면 더욱 담백하고 깔끔하게 오믈렛을 즐길 수 있어요. 구하기 쉬운 대구로 만드는 시금치 오믈렛이에요."

| 재료 |

- 대구 200g
- 마늘 2쪽
- 통후추 3알
- 시금치 100g
- 달걀 4개
- 양파 1/2개(다지기)
- 쪽파 6줄기(다지기)

- 디진 마늘 2큰술
- 우유 1/4컵(60ml)
- 파마산 치즈가루 4큰술
- 소금 2꼬집
- 후춧가루 조금
- 식용유 조금

DIRECTIONS

1. 냄비에 대구, 편으로 썬 마늘, 통후추를 넣고 15분간 대구가 부드러워 지도록 삶은 후 대구는 건져 살을 으깬다.

   *tip* 전감으로 나온 대구를 사용해도 되며, 전감 대구를 사용할 경우에는 삶는 시간을 5~7분으로 조정한다.

2. 소금 1큰술을 넣은 끓는 물에 시금치를 2분간 삶아 찬물에 헹궈 물기를 짠 후 잘게 다진다.

3. 볼에 1의 으깬 대구 살, 달걀, 우유, 다진 시금치, 다진 양파, 다진 쪽파, 마늘, 파마산 치즈를 넣고 소금, 후춧가루로 간한다.

   *tip* 치즈는 덩어리로 된 것을 갈아서 사용하는 편이 훨씬 맛이 좋다. 파마산 치즈 대신 그라나 파다노 또는 그뤼에르 치즈를 갈아서 넣어도 좋은데 구하기 힘들다면 시판 슬라이스 치즈 1장을 잘게 잘라 넣는다.

4. 중불로 달군 팬에 식용유를 두르고 반죽을 부은 후 밑부분이 노릇해지고 윗부분이 익기 시작하면 뒤집어서 좀 더 익힌 후 접시에 담아 완성한다.

   *tip* 달걀을 익힐 때 뚜껑을 덮어 익히면 태우지 않고 속까지 익힐 수 있다.

# 느끼함을 잡아준 된장 연어 스테이크

🍲 분량 : 2인분
⏰ 조리시간 : 30분
🎚 난이도 : 중급

"밥 한 덩이 곁들여도 좋을 요리예요. 크림 소스, 버터구이 같은 느끼한 음식 때문에 양식이 꺼려지셨던 분들에게 딱 맞는 한국식 연어 스테이크예요."

| 재료 | | 참깨 1꼬집 | 야채볶음 양념 |
|---|---|---|---|
| □ 스테이크용 연어 2조각 | | | □ 간장 1작은술 |
| (각 150~200g) | | 된장소스 | □ 굴소스 1작은술 |
| □ 식용유 조금(구이용) | | □ 된장 2큰술 | □ 참기름 1/2작은술 |
| □ 느타리버섯 2줌(50~80g) | | □ 청주 2큰술 | □ 참깨 2꼬집 |
| □ 소금 2꼬집 | | □ 간장 1/2작은술 | □ 다진 쪽파 조금 |
| □ 후춧가루 조금 | | □ 다진 마늘 1작은술 | |
| □ 양파 1개(채썰기) | | □ 꿀 1/2작은술 | |

**1.** 볼에 된장 소스 재료를 넣어 섞은 후 연어 앞뒤에 고르게 발라 랩을 씌워 냉장고에 30분간 재운다.

*tip* 하루 저녁 정도 재워 두면 더 좋다.

**2.** 약불로 달군 팬에 식용유를 두르고 연어를 앞뒤로 1분간 구운 후, 220℃로 예열한 오븐에 넣어 7~10분간 굽는다.

*tip* 오븐에 굽지 않고 프라이팬에 구워도 좋다. 프라이팬에 구울 때는 된장 양념이 타지 않도록 약불에 뚜껑을 덮어 익히도록 한다.

**3.** 달군 팬에 식용유를 두르고 채썬 양파를 1분 정도 볶아 향을 낸 후 느타리버섯을 넣고 소금, 후춧가루를 뿌려 간한 후 2분간 볶는다.

*tip* 느타리버섯 대신 새송이버섯 등의 원하는 버섯을 볶아 넣어도 좋다.

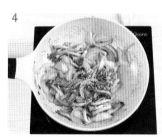

**4.** 양파가 투명해지면 간장, 굴소스를 넣어 살짝 볶고 불을 끈 후 참기름, 참깨, 다진 쪽파를 넣어 섞는다. 구운 연어와 버섯을 접시에 담고 연어 위에 참깨를 뿌려 완성한다.

# 선물 같은 맛과 재미 연어 파피요트
## (Salmon En Papillote)

- 분량 : 2인분
- 조리시간 : 30분
- 난이도 : 중급

"담백한 맛의 찜 요리 파피요트. 기름기 있는 음식이 부담스러울 때 유산지에 싸서 오븐에 굽는 파피요트예요. 사탕모양 유산지를 식탁에서 풀었을 때 모락모락 김이 올라오는 모습도 아주 재미있어요."

## INGREDIENTS

| 재료 |

- 연어 2조각(각 150~200g)
- 올리브유 2큰술
- 방울토마토 8개
- 생 바질잎 8장
  (또는 월계수잎 2장)
- 소금 1/4작은술
- 후춧가루 2꼬집
- 레몬 1/2개분의 제스트
- 레몬 슬라이스 4장
- 대파 5cm 1대(채썰기)
- 마늘 2쪽(편썰기)
- 유산지 40X40cm
  (또는 쿠킹호일)

## DIRECTIONS

1. 오븐을 200℃로 예열하고, 유산지나 쿠킹호일을 사방 40cm 크기로 자른다.

2. 바질을 유산지 위에 얹고 마늘을 얹는다.

   *tip* 바질이 없다면 마른 월계수 잎을 바닥에 깔고 마늘을 얹는다.

3. 연어의 앞뒤로 소금, 후춧가루를 뿌려 밑간을 하고 올리브유를 바른 후 마늘 위에 얹는다.

   *tip* 가자미나 대구, 돔 같은 생선이나 닭고기로 만들어도 맛있게 먹을 수 있다.

4. 달군 팬에 식용유를 두르고 방울토마토를 약 2분간 익힌 후 반으로 잘라 연어 위에 얹고 레몬 제스트를 뿌린다.

5. 방울토마토 위에 채진 대파의 흰 부분만 얹고 레몬 슬라이스를 각각 2장씩 올린 후 유산지를 봉투처럼 사방을 잘 접고 예열된 오븐에 12~15분간 구워 접시에 호일째로 올려 완성한다.

   *tip* 유산지로 접을 때는 호일을 여러 번 접어 끈처럼 만든 뒤 유산지의 양 끝을 잡고 말아준다.

4

5

5

## NOTE

파피요트(papillote)는 가금류나 생선을 종이로 싸서 요리하는 것을 말한다. 유산지에 재료를 넣고 잘 싸서 오븐에 구우면 찜 요리 효과를 얻을 수 있어 조리시 칼로리가 높지 않아 다이어트에도 좋다.

# 고급스럽고 부드러운 맛의 연어 무스

🍲 분량 : 1컵 분량

⏰ 조리시간 : 20분

〰️ 난이도 : 중급

"빵에 잼과 크림치즈만 곁들였었다면 이제 연어도 함께해 주세요. 부드럽고 감칠맛 나는 연어 무스는 고급스럽고 부드러운 맛이 일품이랍니다."

| 재료 |
| --- |
| □ 연어 100g |
| □ 식용유 조금(구이용) |
| □ 플레인 요거트 3큰술 |
| □ 다진 양파 1큰술 |
| □ 다진 타라곤 1큰술 |
|    (또는 말린 타라곤 1작은술) |
| □ 레몬즙 1/2작은술 |

□ 소금 2꼬집
□ 후춧가루 조금
□ 식빵 4조각

| 베샤멜 소스 |
| --- |
| □ 버터 1큰술 |
| □ 밀가루 1큰술 |
| □ 우유 1/2컵(125ml) |

□ 소금 1꼬집
□ 후춧가루 조금
□ 넛멕 가루 1꼬집

DIRECTIONS

* 베샤멜 소스(1~2과정)

1. 냄비를 중불로 달궈 버터를 녹이고 밀가루를 넣어 살짝 볶는다.

2. 우유를 넣어 덩어리지지 않도록 저어주다가 소금, 후춧가루, 넛멕 가루을 넣어 베샤멜 소스를 만든다.

* 연어 (3~5과정)

3. 연어는 깍둑썰어 달군 팬에 식용유를 살짝 두른 후 굽는다. 푸드 프로세서에 연어와 플레인 요거트를 넣고 곱게 간다.

    *tip* 가정에 푸드 프로세서가 없다면 포크나 칼을 이용해 곱게 찢어도 된다.

    *tip* 연어를 구하기 힘들다면 통조림 참치의 식용유를 체에 밭쳐 살을 잘게 찢은 후 사용한다.

4. 3의 연어를 볼에 담고 베샤멜 소스, 다진 양파, 다진 타라곤, 레몬즙, 소금, 후춧가루를 넣어 간을 맞춰 완성한다.

    *tip* 타라곤 대신 타임이나 딜, 또는 다진 쪽파를 넣어도 된다.

5. 식빵을 팬에 살짝 구워 연어와 함께 접시에 담아 완성한다.

    *tip* 바게트 빵이나 좋아하는 빵을 곁들여 먹으면 된다.

 NOTE

* 연어는 오메가3 지방산이 풍부하다. 오메가3에 풍부한 DHA는 두뇌 세포를 만들고 망막을 구성하는 요소이다. 뇌 세포 생성에 도움을 주고, 망막에 영양을 공급해 시력 보호에도 효과가 있으며 혈행을 개선하고 피로 회복을 돕는 등의 역할도 한다.
* 무스(Mousse)는 부드럽고 걸쭉한 질감의 유리로 달콤한 디저트나 짭짤한 요리로도 손색이 없다. 달콤한 맛의 디저트에는 거품 낸 달걀 흰자나 그림을 거품 내 초콜릿이나 과일 퓌레 등에 이용하고 짭짤한 맛의 경우 생선이나 동물의 간을 이용한다.

# 새콤한 맛의 필리핀 수프, 연어 시니강

🍲 분량 : 2인분

⏰ 조리시간 : 50분

🎚 난이도 : 중급

"김치찌개와 비슷한 맛의 시니강은 각종 야채와 새우가 들어가 시원한 느낌을 준답니다. 익숙하면서도 새로운 풍미를 느낄 수 있는 요리예요."

| 재료 | |
| --- | --- |
| 올리브유 3큰술 | 무 1토막(100~120g) |
| 다진 마늘 1큰술 | 물 630~700ml |
| 양파 1/4개(다지기) | 시니강 수프믹스 2작은술 |
| 연어 300g | 그린빈 1줌(50g) |
| 방울토마토 10개(2등분) | 큰새우 2~4마리 |
| 감자 1/2개 (100g) | 소금 적당량 |
| 청경채 1송이 | |

1. 연어는 한입 크기로 깍둑 썰고, 감자는 껍질을 벗겨 2cm 크기로 깍둑 썬다. 무는 나박 썰고, 청경채는 길게 4등분한다.

2. 냄비를 달궈 올리브유를 두른 후 다진 마늘과 양파를 넣어 양파가 투명해지도록 볶는다.

    *tip* 찧은 마늘은 볶을 때 눌어붙고 독한 맛이 나니 마늘 1쪽을 조리 시 바로 다져 사용한다.

3. 연어를 냄비에 넣어 겉면을 익힌 후 방울토마토를 넣어 살짝 볶는다.

4. 물에 시니강 수프 믹스를 풀어서 언어가 들어 있는 냄비에 부은 후 뚜껑을 덮어 15~20분간 끓인다.

    *tip* 시니강 파우더는 신맛이 강하니 1작은술을 먼저 넣고 맛을 보며 1작은술을 추가하며, 소금으로 밑간을 맞춘다.

5. 4의 냄비에 무, 그린빈, 감자를 넣고 감자가 익도록 10~15분간 끓인다.

6. 청경채와 새우를 넣은 후 청경채가 부드러워지고 새우가 익으면 소금을 넣어 완성한다.

 NOTE

시니강은 필리핀의 수프나 스튜 같은 음식이다. 타마린이 들어가 새콤한 맛이 나는 것이 특징으로 해산물뿐만 아니라 닭고기나 쇠고기, 돼지고기 등을 이용해 만들어도 좋다.

# 틀 없이 만드는 시금치 연어 타르트

🍲 분량 : 2인분
⏰ 조리시간 : 2시간
🎹 난이도 : 중급

"집에서 타르트를 만들고 싶어도 도구가 없어 포기하셨었나요? 틀에 굽지 않아 따로 도구가 필요 없는, 투박한 느낌의 바삭한 타르트로 멋진 프랑스풍 브런치를 만끽할 수 있는 시금치 연어 타르트예요."

## INGREDIENTS

| 패스트리도우 | 베샤멜소스 | 토핑 |
|---|---|---|
| □ 중력분 1과1/2컵(175g) | □ 버터 2큰술 | □ 시금치 100g |
| □ 소금 1꼬집 | □ 밀가루 3큰술 | □ 언어 100g |
| □ 차가운 버터 75g | □ 우유 1컵(250ml) | □ 슬라이스 훈제연어 4장 |
| (깍둑썰기) | □ 소금 2꼬집 | □ 블루치즈 조금 |
| □ 달걀 1개 | □ 후춧가루 조금 | (또는 페타치즈) |
| | □ 넛멕 가루 1꼬집 | □ 쪽파 3줄기(다지기) |
| | □ 식용유 조금(구이용) | |

## DIRECTIONS

* 패스트리 도우(1~4과정)

1. 볼에 중력분, 소금, 버터를 넣고 고슬고슬한 상태가 되도록 손으로 비빈 후 달걀을 넣고 날밀가루가 보이지 않도록 반죽한다.

2. 1을 반죽해 원반 모양으로 뭉친 후 랩에 싸서 냉장고에 넣어 30분간 냉장 휴지한다.

3. 오븐을 190℃로 예열한다.

4. 밀대를 사용해 반죽을 민 후 포크로 구멍을 낸 후 15분간 오븐에서 굽고 식힌다.

*tip* 반죽에 포크로 구멍을 내주면 베이킹 하는 동안 가운데가 부풀어 볼록해지는 것을 예방할 수 있다

## DIRECTIONS

\* 베샤멜 소스(5~7과정)

5. 냄비에 버터를 녹이고 밀가루를 넣어 잘 저어주며 날밀가루가 보이지 않도록 볶는다.

6. 우유를 조금씩 넣어주며 거품기로 저어 덩어리가 지지 않고 살짝 되직한 느낌이 들도록 끓인다.

7. 소금, 후춧가루, 넛멕 가루를 넣어 섞은 후 불을 끄고 뚜껑을 덮는다.

\* 토핑(8~9과정)

8. 소금 1큰술을 넣은 끓는 물에 시금치를 데치고 찬물에 헹군 후 잘게 다져 베샤멜 소스에 넣어 섞는다.

9. 달군 팬에 식용유를 두르고 연어를 노릇하게 굽는다.

🥄🥛 NOTE

타르트(Tart)는 버터를 듬뿍 넣어 만든 반죽을 한 번 구워 바삭하게 만든 후 여러 가지 재료를 채워 먹는 프랑스의 요리이다. 영국의 파이와 비슷한데, 파이는 일반적으로 필링을 채운 후 반죽을 뚜껑처럼 덮는 반면 타르트는 덮지 않고 오픈해서 굽는 일종의 오픈 파이라고 생각하면 쉽다.

필링으론 여러 가지 것들을 사용하는데, 달콤한 것을 사용하여 디저트로 먹거나 짭짤한 필링을 사용하기도 한다. 잘 알려진 키슈(Quiche)도 타르트의 한 종류로 주로 짭짤한 맛의 타르트에 사용하는 이름이다. 가장자리가 꽃 모양으로 돼 있고 바닥이 분리되는 전용 틀에 굽는 것이 일반적이지만, 틀이 없어도 투박한 모양으로 이렇게 간단히 만들어 먹을 수 있다.

DIRECTIONS

\* 타르트

**10.** 패스트리 도우 위에 베샤멜 소스를 바르고 구운 연어를 손으로 한입 크기로 뜯어 얹는다. 훈제연어를 얹고 블루치즈를 손으로 부숴서 올린 후, 다진 쪽파를 뿌려 완성한다.

> **tip** 블루치즈의 맛이 거슬린다면 페타치즈나 리코타 치즈를 뿌려준다. 또는 쉽게 구할 수 있는 크림 치즈를 올려도 된다.

# 누구나 좋아하는 참치 토마토 파스타

🍲 분량 : 2인분
⏰ 조리시간 : 40분
🎐 난이도 : 중급

"토마토 소스에 통조림 참치만 넣어도 새로운 맛의 파스타를 즐길 수 있어요. 아이도 어른도 맛있게 먹을 수 있는 친근하고 익숙한 맛의 참치 토마토 소스 파스타예요."

| 재료 |

- 식용유 조금(볶음용)
- 다진 마늘 1큰술
- 양파 1/2개(다지기)
- 청양고추 1개(다지기)
- 말린 바질 1/2작은술
- 토마토 소스 300ml
- 통조림 참치 100g

- 소금 1큰술(삶는용), 소금 2꼬집(소스용)
- 후춧가루 조금
- 리가토니 250g(또는 원하는 파스타)
- 파마산 치즈 가루 조금
- 다진 파슬리 2큰술

DIRECTIONS

1. 파스타(리가토니) 삶을 물을 끓이고 통조림 참치는 체를 이용해 기름을 뺀다.

2. 달군 팬에 식용유를 두르고 다진 양파와 다진 마늘을 넣고 양파가 투명해지도록 볶은 후 청양고추와 말린 바질을 넣고 2분간 볶는다.

   tip 찧은 마늘은 볶을 때 눌어붙고 독한 맛이 나니 마늘 1쪽을 조리 시 바로 다져 사용한다.

3. 2에 토마토 소스, 통조림 참치를 넣고 맛이 나도록 뚜껑을 덮어 약불로 10분간 끓인 후 소금, 후춧가루로 간을 맞춘다.

4. 끓는 물에 소금 1큰술을 넣고 리가토니(파스타)를 삶은 후 건진다. 이때 삶은 물은 버리지 않고 둔다.

   tip 파스타 포장지에 삶는 시간이 표기돼 있으니, 조리하는 파스타에 맞도록 확인한다.

5. 건져낸 파스타를 토마토 소스에 넣어 버무리고 파스타 삶은 물로 묽기를 조절한다.

6. 소금, 후춧가루를 넣어 신힌 후 다진 파슬리와 파마산치즈가루를 뿌려 완성한다.

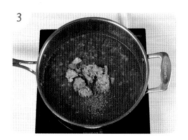

3

5

6

NOTE

토마토 소스 만들기가 번거롭다면 시판 스파게티 소스를 데워 참치를 넣고 만들면 간단히 만들 수 있다.

# 담백하고 부드러운 참치 샐러드

🍲 분량 : 2인분
⏰ 조리시간 : 40분
🎚 난이도 : 중급

"샐러드에도 참 잘 어울리는 통조림 참치는 삶은 달걀과 감자와 궁합이 좋아요. 달걀과 감자, 그리고 참치가 들어간 담백한 맛의 샐러드는 식사 대신으로도 손색이 없어요."

| 재료 |
□ 통조림 참치 60g
□ 감자 300g
□ 달걀 2개
□ 완두콩 1컵(125g)
□ 소금 2큰술
□ 양파 1/2개(다지기)
□ 쪽파 2줄기(다지기)

□ 다진 파슬리 1큰술

| 샐러드 드레싱 |
□ 레몬즙 1큰술 + 1작은술
□ 엑스트라 버진
   올리브유 1큰술
□ 소금 2꼬집
□ 후춧가루 적당량

DIRECTIONS

1. 통조림 참치는 체를 이용해 기름을 빼고 감자는 껍질을 벗긴다.

2. 껍질 벗긴 감자를 냄비에 넣고 잠기도록 물을 넣은 후 소금 1 꼬집을 넣어 삶는다.

3. 다른 냄비에 달걀을 넣고 잠기도록 물을 넣은 후 소금 1큰술을 넣고 끓으면 약불로 줄여 12~15분간 완숙으로 삶는다.
   *tip* 달걀과 감자는 위생상의 문제로 같이 삶지 않는나.

4. 완두콩은 펄펄 끓는 물에 소금 1꼬집을 넣고 잘 익도록 삶은 후 찬물에 헹궈 둔다.

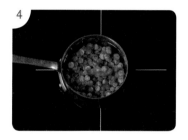

5. 삶은 감자는 1cm 두께로 슬라이스하고, 삶은 달걀도 얇게 슬라이스한다.
   *tip* 달걀은 에그 슬라이서를 이용하면 예쁘게 자를 수 있다.

6. 볼에 참치를 넣고 포크로 으깬 후 다진 양파, 쪽파, 파슬리를 넣어 섞고 슬라이스한 감자와 달걀을 볼에 넣는다.
   *tip* 샐러드에 달걀을 넣어 섞으면 노른자가 분리되는데, 절반을 먼저 넣고 섞은 후 완성 전에 나머지 달걀을 올리면 노른자가 모두 분리되지 않아 보기가 좋다.

7. 샐러드 드레싱을 만들어 얹은 후 달걀 노른자가 분리되지 않도록 섞어 완성한다.

# 폼나는 아스파라거스 소테와 참치 타타키

- 분량 : 2인분
- 조리시간 : 30분
- 난이도 : 중급

"섬유질과 무기질이 풍부한 아스파라거스. 마트의 냉동생선 코너에서 쉽게 발견할 수 있는 횟감용 참치와 곁들여 먹으면 동물성 단백질까지 같이 섭취할 수 있어요. 맛있고 간단하게 아스파라거스와 참치를 먹는 방법이에요."

| 재료 | | 드레싱 |
|---|---|---|
| □ 아스파라거스 1줌 (180~200g) | □ 다진 파슬리 1큰술 | □ 올리브유 3큰술 |
| □ 식용유 조금(구이용) | □ 냉동 참치 200g | □ 레몬즙 1큰술 |
| □ 방울토마토 10개 | □ 소금 2꼬집 | □ 소금 1꼬집 |
| □ 오이 1/2개 | □ 후춧가루 조금 | □ 후춧가루 조금 |
| □ 쪽파 1줄기(다지기) | | |

DIRECTIONS

1. 방울토마토는 세로로 4등분하고 오이는 껍질을 벗기고 씨를 제거한 후 작게 깍둑썬다.

2. 아스파라거스는 밑의 질긴 부분을 잘라내고 달군 팬에 식용유를 두르고 소금, 후춧가루로 간해 아삭한 맛이 살아 있도록 2~5분간 굽는다.

   tip 아스파라거스 굵기에 따라 굽는 시간을 조절한다.

3. 방울토마토, 오이, 쪽파, 파슬리를 잘 섞어두고 다른 드레싱을 따로 만든다.

4. 참치는 미지근한 물에 10분간 담근 후 키친타월로 핏물을 깨끗이 제거하고 앞뒤로 소금, 후춧가루로 간한다.

   tip 해동시킨 후 물기를 제거해 주지 않으면 비린내가 날 수 있다.

5. 달군 팬에 식용유를 두르고 참치의 한 면당 20초씩 구워 겉은 익고 속은 붉은 빛이 돌도록 한다.

6. 참치를 먹기 좋은 크기로 썰어 아스파라거스를 담은 서빙접시에 올린다. 방울토마토 샐러드를 곁들인 후 먹기 직전에 드레싱을 뿌린다.

5

5

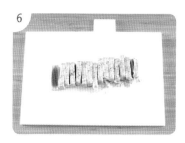
6

NOTE

* 타타키는 주로 참치나 가다랑어를 표면만 살짝 익힌 회의 일종이다.
* 소테(sauté)는 조리방법의 하나로 버터나 식용유에 재빨리 볶거나 튀기는 것을 뜻한다.

# 짭쪼름한 앤초비 그린올리브 파스타

- 분량 : 2인분
- 조리시간 : 30분
- 난이도 : 중급

"젓갈 같은 맛이 나는 앤초비는, 음식에 넣어주면 감칠맛을 더해줍니다. 올리브식용유에 볶은 그린 올리브와 앤초비는 파스타에 고소한 맛과 감칠맛까지. 가끔은 소스 없이 간단한 볶음 국수 느낌의 파스타를 즐겨 보는 건 어떨까요."

| 재료 |

- 올리브유 4큰술
- 다진 앤초비 4큰술
- 샬롯 1개(또는 양파 1/4개)
- 마늘 1쪽(으깨기)
- 그린올리브 10알(슬라이스)
- 스파게티 면 반줌(약 200g)

- 소금 2큰술
- 후춧가루 조금
- 파마산 치즈 가루 조금

DIRECTIONS

1. 끓는 물에 소금 2큰술을 넣고 파스타를 넣어 삶고 삶은 물은 버리지 않는다.

   *tip* 스파게티 포장의 삶는 시간을 확인하여 알맞게 삶는다.

2. 달군 팬에 올리브유를 두르고 다진 샬롯과 마늘이 투명해지도록 볶다가 마늘을 건져내고 다진 앤초비를 넣고 3분간 볶는다.

   *tip* 앤초비는 4~6마리 정도를 다지면 적당하다.

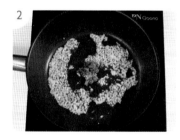

3. 그린올리브와 삶은 스파게티를 넣고 맛이 잘 어우러지도록 섞고 파스타 삶은 물을 1~2큰술씩 넣어 면이 건조해지지 않도록 한다.

   *tip* 파스타 삶은 물을 남겨뒀다가 면이 너무 뻑뻑하면 조금씩 넣어 질기를 맞춘다.

4. 불을 끄고 파마산 치즈를 갈아서 얹고 후춧가루를 뿌린 후 파슬리를 얹어 서빙한다.

NOTE

\* 앤초비(Anchovy)는 멸치과의 생선이다. 생선을 손질해 소금을 뿌려 각종 향신료 등을 넣은 후 올리브유를 부은 서양의 젓갈 같은 음식이다. 각종 요리에 많이 들어가는데, 짭짤하면서도 감칠맛이 난다. 제품별로 비린맛과 향이 강한 것이 있는데, 파스타 등엔 비린 맛이 적고 부드러운 앤초비가 어울리니 알맞게 구입한다.

\* 샬롯은 옅은 보라색 빛의 작은 양파 모양의 채소로, 양파보다 맛이 좀 더 섬세하다. 양파 1/4개로 대체해도 된다.

# 격조 있는 손님을 모실 땐 메로 스테이크

- 분량 : 2인분
- 조리시간 : 30분
- 난이도 : 중급

"메로는 기름기가 많고 살이 아주 맛있어요. 부드럽고 고급스러운 맛이 일품인 메로와 크렌베리가 들어간 새콤달콤한 사이드가 잘 어울리는 요리입니다. 또 손님 맞이 음식으로도 손색이 없어요."

## INGREDIENTS

| 재료 |

- 마늘 2쪽
- 양파 1/2개
- 블랙올리브 5~10개
- 케이퍼 1큰술(생략 가능)
- 방울토마토 6개
- 식용유 조금(구이용)

- 드라이 화이트와인 1/4컵(60ml)
- 말린 크랜베리 3큰술
- 소금 2꼬집
- 후춧가루 조금
- 버터 2큰술
- 스테이크용 메로 2조각

## DIRECTIONS

1. 마늘은 다지고, 양파는 채치고, 올리브는 슬라이스 한다. 케이퍼는 물에 씻어서 체에 한 번 밭친다. 방울토마토는 4등분한다.

2. 달군 팬에 식용유를 두르고 양파와 마늘을 넣어 양파가 투명해지도록 볶는다.

3. 와인과 토마토, 블랙 올리브, 크랜베리를 넣고 잘 섞고 소금, 후춧가루로 간한 후 잠시 덜어 놓는다.

   tip 와인 대신 청주를 사용해도 된다.

4. 팬을 깨끗이 닦고 버터를 녹인 후 메로를 올려 소금, 후춧가루 간하고 한 면당 2~3분씩 굽는다. 메로를 접시에 담고, 3의 토마토를 얹어준 후 케이퍼를 올려 서빙한다.

   tip 요즘 마트의 냉동 생선 코너의 냉동 메로를 사용해서 만들어도 좋다.

# 서양식 전, 감자프리터와 훈제연어

- 분량 : 2인분
- 조리시간 : 40분
- 난이도 : 중급

"서양에선 훈제연어와 감자요리를 자주 곁들여 먹는데 서로 맛도 잘 어울리는 한 쌍입니다. 감자를 팬에 전처럼 부친 프리터와 훈제연어를 곁들여 봅시다."

| 재료 |

- 애호박 1/4토막(70g)
- 큰 감자 1/2개(100g)
- 당근 1/4개(50g)
- 양파 1/4개(50g)
- 밀가루 2큰술
- 다진 파슬리 조금

- 소금 1꼬집
- 후춧가루 조금
- 식용유 적당량(구이용)
- 슬라이스 훈제연어 8장

| 요거트 소스 |

- 플레인 요거트 1통(80ml)

- 다진 마늘 1큰술
- 오이 5cm 1토막(다지기)
- 소금 2꼬집
- 후춧가루 조금

1. 애호박, 감자, 당근, 양파를 강판의 가장 큰 구멍에 채쳐서 볼에 담고, 밀가루와 다진 파슬리를 넣고 잘 섞은 후 소금, 후춧가루로 간한다

2. 달군 팬에 식용유를 두르고 야채를 동그랗게 만들어 팬에 노릇하게 굽는다.

3. 요거트 소스를 만들고 서빙접시에 프리터를 담고 훈제연어를 올린 후 만들어 놓은 요거트 소스와 곁들인다.

   tip 요거트 소스 대신 마요네즈나 크림치즈, 사워크림을 곁들여도 좋다.

1

2

3

 N O T E

프리터(Fritter)는 우리나라의 전 같은 느낌으로 각종 재료에 튀김옷을 입혀 기름을 충분히 두른 팬에 튀기듯이 부친 음식이다.

# 부드러운 파마산 치즈 생선구이

🍲 분량 : 2인분
⏰ 조리시간 : 30분
🍴 난이도 : 중급

"바나나는 구우면 단맛이 더 강해지고 향도 더 좋아집니다. 짭쪼름한 파마산 치즈를 입힌 생선구이와 바나나는 제법 잘 어울린답니다."

| 재료 |

- 흰살 생선 200g
  (길쭉하게 썰기)
- 밀가루 2큰술
- 소금 1꼬집
- 후춧가루 조금
- 달걀 1개
  (넓은 그릇에 풀어서 준비)
- 빵가루 2큰술
- 파마산 치즈 가루 2큰술
- 살짝 덜 익은 바나나 1개
- 버터 1큰술
- 아몬드 슬라이스 2큰술
- 레몬즙 1작은술

DIRECTIONS

1. 잘라놓은 생선은 키친타월로 물기를 제거하고 밀가루와 소금,
   후춧가루를 섞어 생선의 앞뒤로 고루 묻힌 후 여분의 가루는
   털어낸다.

2. 생선에 달걀물을 입히고 빵가루와 파마산 치즈 가루를 잘 섞은
   후 생선에 고루 묻힌다.

3. 달군 팬에 식용유를 두르고 생선이 노릇해지도록 구운 후 그릇
   에 담는다.

4. 바나나는 껍질을 벗겨 2~3cm 두께로 어슷 썰어 깨끗한 팬을
   달궈 버터를 녹인 후 버터에서 거품이 나기 시작하면 바나나
   슬라이스와 아몬드를 넣고 갈색빛이 돌도록 빠르게 구워낸다.

5. 바나나에 레몬즙을 고루 뿌린 후 생선을 담은 접시의 주위에 얹
   어 뜨거울 때 서빙한다.

   tip 바나나는 검은 점이 생기지 않은 단단한 것으로 하는 것이 좋다. 너무 익
   은 것은 쉽게 물러져 구울 때 으스러지기 쉽다.

# 특별한 날의 멋진 식사, 가리비 관자구이

🍲 분량 : 2~4인분
⏰ 조리시간 : 30분
🎛 난이도 : 중급

"특이한 식감의 고급스러운 맛을 가진 가리비 관자를 달큰한 오렌지 소스와 곁들이면 레스토랑에 갈 필요 없이 특별한 날의 멋진 식사를 만들 수 있습니다."

| 재료 | 오렌지 소스 |
|------|-------------|
| □ 가리비관자 8개 | □ 설탕 4큰술 |
| □ 베이컨 8줄 | □ 오렌지 주스 180ml(또는 감귤주스) |
| □ 소금 8꼬집 | □ 드라이 화이트 와인 60ml(또는 청주) |
| □ 후춧가루 4꼬집 | □ 오렌지 1개분의 오렌지 제스트 |
| □ 식용유 조금(구이용) | (생략 가능) |

DIRECTIONS

1. 작은 냄비에 설탕을 넣고 불에 올려 시럽을 만든다. 시럽이 갈색빛이 돌면 오렌지 주스와 화이트 와인을 넣는다.

   *tip* 단맛이 적은 드라이 화이트 와인을 사용하면 좋지만, 없다면 일반 와인을 사용하고 설탕을 1큰술 정도 줄인다.

2. 1의 양이 절반이 되고 조금 걸쭉해지도록 조리고 불에서 내려 완전히 식은 후 오렌지 제스트를 넣어 섞어준다.

3. 가리비 관자는 키친타월로 물기를 제거하고 위, 아래에 소금, 후춧가루로 간한다. 관자 1개당 소금 1꼬집씩 뿌린다.

   *tip* 키조개 관자를 사용할 경우 질겨질 수 있으니 한번 가로로 저민 후 사용한다.

4. 프라이팬을 중불로 달궈 베이컨이 살짝 노릇해지도록 굽고 키친타월위에 올려 기름기를 제거한다.

5. 관자의 옆 부분을 구워놓은 베이컨으로 말고 이쑤시개나 꼬치를 꽂아 고정한다.

   *tip* 베이컨을 말지 않고 관자만 구워서 소스를 끼얹어 먹어도 좋다.

6. 달군 팬에 식용유를 살짝 두르고 관자의 윗 부분을 2분 정도 굽고 뒤집어서 2분간 구운 후 접시에 담는다(관자의 크기에 따라 굽는 시간을 조절한다).

7. 관자 주위에 오렌지 소스를 끼얹어 서빙한다.

   *tip* 샐러드 채소를 곁들인다면 좋다.

# 낯선 매력의 병아리콩 새우 샐러드

- 분량 : 2인분
- 조리시간 : 20분
- 난이도 : 초급

"쌉쌀한 맛의 아루굴라는 부드러운 식감의 열무 같은 느낌이 드는 채소입니다. 아루굴라와 맛있는 새우에 생소한 병아리콩을 곁들여 이국적인 샐러드, 맛도 보장합니다."

| 재료 | 샐러드 드레싱 |
|------|-------------|
| ☐ 말린 병아리콩 1/4컵(50g) | ☐ 다진 마늘 1큰술 |
| ☐ 방울토마토 10개 | ☐ 올리브유 3큰술 |
| ☐ 중간크기 양파 1개 | ☐ 레몬즙 1큰술 |
| ☐ 아루굴라 2줌(또는 치커리) | ☐ 소금 조금 |
| ☐ 다진 파슬리 1큰술 | ☐ 후춧가루 조금 |
| ☐ 큰 새우 8마리(150~200g) | |

DIRECTIONS

1. 방울토마토는 2등분하고, 양파는 1cm 크기로 다진다.

2. 말린 병아리콩을 볼에 담아 충분히 잠기도록 물을 붓고 하루
저녁(10시간 이상) 정도 담가 불린 후 냄비에 물을 넉넉히 부
어 1시간 정도 물러지게 삶아 건져둔다. 새우는 달군 팬에 식
용유를 두르고 볶아서 익힌다.

   *tip* 통조림에 든 병아리콩을 사용하면 간편하게 만들 수 있다. 통조림 병아
   리콩은 체에 밭쳐 물기를 제거한 후 100~150g을 사용한다.

   *tip* 생새우를 사용할 경우, 머리와 껍질을 제거하고 등쪽에 이쑤시개를 찔
   러 넣어 내장을 제거한다. 손질된 냉동 큰 새우를 사용하면 간편하다.

1

2. 토마토와 양파, 다진 파슬리를 볼에 담고 재료를 고루 섞어 샐
러드 드레싱을 만들어 1/3 정도를 부어준 후 고루 섞는다.

2

3. 서빙접시에 아루굴라를 적당한 크기로 뜯어 담은 후 드레싱의
1/3을 부어준 후 고루 섞고 병아리콩, 방울토마토 섞은 것, 새
우를 고루 얹는다.

   *tip* 샐러드 드레싱에 마늘은 바로 칼로 다져 사용한다. 절구에 찧은 마늘은
   독한 맛이 나고 진물이 나 드레싱에 적합하지 않다.

3

NOTE

* 이집트콩이라고도 불리우는 병아리콩(Chickpea)은 노르스름하고 울퉁불퉁한 모양에 뾰족하게 튀어나온 부분이 있어 병아리의
  얼굴 모양을 닮은 것 같이 보인다. 맛은 고소하고 부드러워서 샐러드나 사이드 디쉬, 스튜등 다양한 요리로 이용된다. 대부분 바
  짝 말라 있어 하룻저녁 불린 후 사용하여야 한다.

* 아루굴라(Argula)는 이탈리아 요리에 많이 쓰이는 채소인데 이탈리아어로 루꼴리(Rucola), 영어로 로켓(Rocket) 또는 아르굴라
  라고 부른다. 톡쏘는 매운맛이 열무와 비슷하지만 식감이 부드러워 샐러드로 매우 잘 어울린다.

# 남길 것 없는 오징어 토마토소스 파스타

- 분량 : 2~3인분
- 조리시간 : 40분
- 난이도 : 중급

"스파게티 소스 대신 시판하는 토마토 소스를 이용하면 더욱 맛있고 입맛에 맞는 다양한 파스타 요리를 만들 수 있습니다. 오징어의 쫄깃한 맛이 일품인 스파게티, 남은 소스는 빵을 찍어 먹으면 좋아요."

## INGREDIENTS

| 재료 |

- 작은 오징어 2마리(400~450g)
- 올리브유 1큰술(볶음용)
- 양파 1/2개(다지기)
- 방울토마토 10개
- 다진 마늘 1큰술
- 페페론치노 2~3개
  (또는 다진 청양고추 1/2개)
- 토마토소스 1컵(250ml)
- 화이트 와인 1/2컵
  (125ml, 또는 청주로 대체가능)
- 월계수 잎 1장
- 말린 바질 1작은술(또는 말린 타임)
- 스파게티 면 2인분(반줌, 약 200g)
- 소금 2꼬집
- 후춧가루 조금
- 그린 올리브 15개(슬라이스, 생략 가능)

## DIRECTIONS

1. 스파게티 면 삶을 물을 끓여 둔다. 방울토마토는 2등분하고 올리브는 슬라이스한다.

2. 오징어는 내장과 껍질을 제거하고 몸통은 링모양으로 자르고, 다리는 5cm 길이로 잘라둔다.

   *tip* 오징어 껍질을 키친타월로 잡고 벗기면 미끌거리지 않아 쉽게 벗길 수 있다. 손질한 시판 냉동오징어를 사용해도 된다.

3. 중불로 팬을 달궈 올리브유을 두르고 오징어를 2분간 살짝 볶아 다른 그릇에 덜어 놓는다.

   *tip* 오징어는 완전히 익히지 않고 흰 빛이 돌면 바로 불을 끈다.

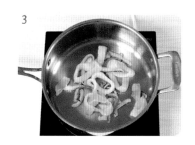

## NOTE

스파게티 대신 원하는 원하는 파스타를 사용해도 좋고 오징어 대신 한치나 새우를 넣어도 맛있게 먹을 수 있다. 또는 해산물을 빼고 토마토 소스로만 만들어 먹어도 좋다.

4. 키친타월로 팬을 한번 닦고 올리브유 1큰술을 두른 후 양파가 투명해지도록 볶는다.

5. 양파, 마늘, 방울토마토, 페페론치노를 넣고 3분간 볶다가 토마토 소스를 붓고 약불로 줄인 후 뚜껑을 덮어 10분 정도 보글보글 끓인다.

   *tip* 토마토 소스는 마트의 통조림 코너에 가면 캔에 든 것으로 판매한다. 구하기 힘들다면 시판 스파게티 소스를 사용한다.

6. 익힌 오징어를 팬에 넣고 와인, 월계수 잎, 말린 허브를 넣은 후 소금, 후춧가루로 간하고, 뚜껑을 덮어 10분간 보글보글 끓인다.

7. 월계수 잎을 빼내고 채친 블랙올리브를 넣은 후 불을 끈다.

8. 1의 끓는 물에 소금 2큰술을 넣은 후 스파게티 면을 심이 알덴테 상태(조금 남은 상태)가 되도록 삶는다.

   *tip* 파스타를 삶는 시간은 구입한 봉지에 표시되어 있으니 확인 후 참고하여 삶아내면 된다.

NOTE

페페론치노(peperoncino)는 이탈리아요리에 자주 쓰이는 고추이다. 입안에서 톡 쏘는 매운맛이 강한데, 우리나라의 고추와 매운맛이 조금 차이가 난다. 말려서 판매하는데 크기가 새끼손톱만큼 작다. 2인분 정도의 양이라면 말린 페페론치노 2~3개만 넣어도 매콤한 맛이 난다. 취향에 따라 양을 가감하면 매운 맛을 조절할 수 있다.

**9.** 스파게티 면을 건져서 만들어둔 오징어 토마토 소스에 넣고 잘 섞는다. 스파게티 삶은 물로 묽기를 조절한다.

*tip* 파스타가 준비하는 소스보다 먼저 삶아졌을 경우 올리브유를 1작은술 정도 뿌려 섞어두면 서로 붓지 않게 둘 수 있다.

**10.** 그릇에 담고 바삭하게 구운 빵과 함께 서빙한다.

*tip* 오징어 양을 늘리고 파스타를 생략하면 오징어 스튜로 만들 수 있다.

*tip* 파스타를 그릇에 담고 파마산 치즈를 필러로 긁어서 올려도 보기 좋은 상식이 된다.

NOTE

파스타는 이탈리아에서 주식으로 먹는 밀가루 음식인데. 밀의 한 종류인 듀럼밀을 사용해서 만든다. 파스타 종류가 무척 많은데 길이가 짧고 여러 가지 모양을 가지고 있는 쇼트 파스타에는 흔히 알고 있는 마카로니. 푸실리. 펜네. 리본모양의 파르팔레 등이 있고, 롱 파스타에는 스파게티. 스파게티보다 가는 면빨의 스파게티니. 납작한 모양의 링귀네 등이 있다.

# 함께라 더 좋은 랍스터 오렌지 샐러드

- 분량 : 2인분
- 조리시간 : 40분
- 난이도 : 초급

"마트에서 파는 냉동 랍스터로 만드는 샐러드는 상큼한 오렌지와 아주 궁합이 잘 맞아요. 특별한 맛이 없어 특색 없어 보이는 아보카도는 다른 재료들과 어울리면 근사한 맛을 선사해 줍니다."

## INGREDIENTS

| 재료 |

- 냉동 랍스터 1마리
- 오렌지 1개(큰 것)
- 아보카도 1개
- 레몬즙 조금
- 쪽파 1줄기(다지기)
- 다진 파슬리 2큰술

- 올리브유 3큰술
- 소금 3꼬집
- 후춧가루 조금

## DIRECTIONS

1. 냉동 랍스터는 실온에 해동 시키고, 김 오른 찜통에 5~10분
   간 찐다. 꼬리와 다리 껍질을 칼등으로 두들겨 깬 후 살만 발라
   먹기 좋은 크기로 잘라 놓는다. 머리는 장식용으로 씻어둔다.

    냉동 랍스터 대신 킹크랩 살이나 크래미, 새우를 대신 사용해도 좋다.

2. 오렌지는 꼭지와 바닥을 슬라이스한 뒤 오렌지의 옆 껍질을 칼
   로 위에서 아래로 훑듯이 잘라낸다. 오렌지의 껍질이 가능하
   면 섞이지 않도록 과육만 발라내 게살을 남은 볼에 넣는다.

3. 과육을 발라낸 오렌지는 즙을 짜서 즙만 볼에 담는다.

4. 아보카도는 씨 부분까지 칼을 넣고 씨 주위를 빙 돌려 칼집을
   낸다. 칼집낸 부분을 중심으로 한쪽씩 손으로 잡고 비틀어 2
   등분하고, 씨는 칼로 찍어 빼낸다. 아보카도의 껍질을 벗겨
   1.5cm크기로 깍둑 썰어 볼에 담는다.

    아보카도는 갈변하는 성질이 있으니 미리 잘라두지 않는다. 부득이할
   경우 나중에 뿌릴 레몬즙을 미리 아보카도에 뿌려두면 갈변을 막을 수
   있다.

5. 쪽파와 파슬리를 송송 썰어 짜 놓은 오렌지즙과 함께 샐러드
   볼에 담고 올리브유을 재료 위에 돌리주고 맛을 보며 소금, 후
   춧가루로 간을 한 후 레몬즙을 흩뿌려 서빙한다.

# 토르티야로 만든 새우 오징어 피자

🍲 분량 : 2인분

⏰ 조리시간 : 20분

🎐 난이도 : 초급

"피자 반죽이 너무 어려워서 만들고 싶어도 망설여 진다면, 시판하는 냉동 토르티야를 사용해 보세요. 토르티야의 얇은 두께 덕에 조리시간이 짧고 바삭한 맛이 일품입니다."

**| 재료 |**

- 큰 새우 6마리
- 오징어 40g(작게 썰기)
- 토르티야 1장(20~25cm)
- 토마토 소스 2큰술
  (또는 토마토 케첩 2큰술)
- 방울토마토 3개(2등분)
- 페타치즈 1줌
- 올리브유 조금
- 바질 잎 1줌(또는 말린 바질
  1/4작은술, 없으면 생략)

1. 오븐 예열 200℃로 예열한다.

2. 달군 팬에 올리브유를 두르고 잘게 썬 오징어와 껍질을 벗긴 새
   우살을 익힌다.

3. 토르티야에 토마토 소스를 바르고 볶은 새우와 오징어를 올리
   고 방울토마토를 올려 예열된 오븐에 10분간 구운 후 위에 페
   타치즈와 바질 잎, 올리브유를 둘러준 후 서빙한다.

# All that ★ FISH

**1판 1쇄 발행** 2013년 3월 8일

**저　　자** | 송윤형
**발 행 인** | 김길수
**발 행 처** | (주)영진닷컴
**주　　소** | 서울특별시 금천구 가산동 664번지
　　　　　　대륭테크노타운 13차 10층
**대표전화** | 1588-0789
**대표팩스** | (02) 2105-2207
**등　　록** | 2007. 4. 27. 제16-4189호

**가격 13,000원**

ⓒ 2013. (주)영진닷컴
ISBN 978-89-314-4360-8

YoungJin.com **Y.**
영진닷컴

All that ✦ FISH

# special
## INFO

## '원시리즈'로 요리책 스테디셀러 시장을 연 영진닷컴의 새로운 요리책 시리즈!

집에서 요리는 하는 사람이라면 누구나 하나쯤은 갖고 있다는 '원시리즈'
요리가 낯선 사람들의 가장 친절하고 편한 친구였죠.
우리 식단과 가장 가까운 밑반찬, 국찌개, 밥상 그리고 손님상까지 ...
집에서 요리로 할 수 있는 모든 분야를 다루며 큰 사랑을 받았습니다.

요리책으로는 이례적으로 100만부 판매와, 그해 2005 히트상품으로 지정되기도 했던,
'원시리즈'를 출간한 영진닷컴에서 새로운 요리책 시리즈가 나왔습니다.

**내가 좋아하는 식재료로 만든 요리만으로 가득 채우는 한상 차림!**
**한 가지 재료로 만들 수 있는 모든 요리를 담은 올 댓 All that 시리즈입니다.**

1. 올 댓 All that은 가장 대중적인 한 가지 식재료를 주재료로 삶았습니다.

2. 올 댓 All that은 단조로움을 피하고자 다양한 나라의 요리를 담았습니다.

3. 올 댓 All that은 색다른 요리의 색다른 이야기가 있습니다.

4. 올 댓 All that을 모으면 가장 대중적인 식재료들로 만드는 모든 레시피를 갖게 됩니다.

생선으로 첫발을 내딘 올댓시리즈는 곧, 돼지고기(All that pork), 닭고기(All that chicken)로 찾아뵙겠습니다.

* All that pork(4월 출간 예정), All that chicken(5월 출간 예정)

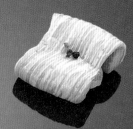